KB067198

NEW 서울대 선정 인문고전 60선

45
법구경

NEW 서울대 선정 인문 고전 ㊺

만화 **법구경**

개정 1판 1쇄 인쇄 | 2019. 8. 14
개정 1판 1쇄 발행 | 2019. 8. 21

전재성 글 | 마정원 그림 | 손영운 기획

발행처 김영사 | 발행인 고세규
등록번호 제 406-2003-036호 | 등록일자 1979. 5. 17.
주소 경기도 파주시 문발로 197 (우10881)
전화 마케팅부 031-955-3100 | 편집부 031-955-3113~20 | 팩스 031-955-3111

값은 표지에 있습니다.
ISBN 978-89-349-9470-1
ISBN 978-89-349-9425-1(세트)

좋은 독자가 좋은 책을 만듭니다. 김영사는 독자 여러분의 의견에 항상 귀 기울이고 있습니다.
독자의견전화 031-955-3139 | 전자우편 book@gimmyoung.com
홈페이지 www.gimmyoungjr.com | 어린이들의 책놀이터 cafe.naver.com/gimmyoungjr

---

이 도서의 국립중앙도서관 출판예정도서목록(CIP)은 서지정보유통지원시스템 홈페이지(http://seoji.nl.go.kr)와
국가자료종합목록시스템(http://www.nl.go.kr/kolisnet)에서 이용하실 수 있습니다. (CIP제어번호 : CIP2018042968)

미래의 글로벌 리더들이 꼭 읽어야 할 인문고전을 만화로 만나다

주니어김영사

'서울대 선정 인문고전 50선'이 국민 만화책이 되기를 바라며

40여 년 전, 제가 살던 동네 골목 어귀에는 아이들에게 만화책을 빌려 주는 가게가 있었습니다. 땅바닥에 검정색 비닐을 깔고 그 위에 아이들이 좋아하는 만화책을 늘어 놓았는데, 1원을 내면 낡은 만화책 한 권을 빌릴 수 있었지요. 저는 그곳에서 처음으로 만화책을 접했고, 만화책을 보면서 한글을 깨쳤습니다. 어쩌면 그때 저는 만화가 가진 힘을 깨우쳤다고 할 수 있습니다.

이렇게 만화책으로 시작한 책과의 인연으로 저는 책을 좋아하게 되었고, 중학교 때는 도서반장을 맡게 되었습니다. 약 10만 권의 장서를 자랑하는 학교 도서관을 매일 밤 10시까지 지키면서 참 많은 책을 읽었습니다.

또래의 아이들이 지겹게만 여기던 헤밍웨이의 《노인과 바다》를 두 손에 땀을 쥐며 네 번이나 읽었습니다. 또한 헤르만 헤세의 《데미안》을 읽으며 질풍노도의 시절을 달랬고, 김래성의 《청춘 극장》을 밤새워 읽느라고 중간고사를 망치기도 했습니다.

당시 저의 꿈은 아주 큰 도서관을 운영하는 사람이 되어 하루 종일 책을 보면서 사람들에게 필요한 책을 쓰는 작가가 되는 것이었습니다. 이제 저는 한 가지 더 큰 꿈을 가지려고 합니다. 그것은 우리나라의 아이들이 꿈과 위로를 얻고, 나아가 인생을 성찰하게 해 줄 수 있는 멋진 만화책을 만드는 일입니다.

'서울대선정 인문고전 50선'은 서울대학교 교수님들이 추천한 청소년들이 꼭 읽어야 할 동서양 고전 중에서 50권을 골라 만화로 만든 것입니다. 이 책들은 그야말로 인류 문화의 금자탑이라고 할 수 있는 것이지만, 사실 제목만 알고 있을 뿐 쉽사리 읽을 엄두가 나지 않는 책들입니다.

그것을 수십 명의 중 · 고등학교 선생님들과 전공 학자들이 밑글을 쓰고, 또 수십 명의 만화가들이 고민에 고민을 거듭하여 쉽고 재미있게, 그러면서도 원서의 내용을 정확하게 전달할 수 있도록 노력하여 만들었습니다.

그래서 '서울대 선정 인문고전 50선'이 어린이와 청소년뿐만 아니라 부모님들이 함께 봐도 좋을 만화책이라고 자부합니다. 국민 배우, 국민 가수가 있듯이 만화로 읽는 '서울대 선정 인문고전 50선' 이 '국민 만화책' 이 되길 큰마음으로 바랍니다다.

손영운

소박하면서도 깊이있는 충만한 가르침

부처님은 가르침을 입에서 입으로 전하기 쉽게 손수 시로써 작성하여 제자들에게 입에서 입으로 전하게 했습니다. 그 가운데 잘 가려 뽑은 선집이라고 할 수 있는 것이 《법구경》입니다. '법구法句'라는 말 자체가 '진리의 말씀'이라는 뜻입니다. 따라서 《법구경》은 불교에만 국한된 가르침이 아니라 인류가 따라야 하는 보편적인 지혜를 아주 소박하고도 심오하게 표현해 주고 있습니다.

필자는 최근에 방대한 주석과 인연담을 실은 《법구경-담마파다》라는 책을 빠알리성전협회 간행으로 출간했습니다. 《법구경》에 대하여 보다 상세한 것을 알고 싶은 사람은 그 책-시구의 번역은 이 《법구경》 만화와는 약간씩 다를 수가 있음-을 구해서 보시면 됩니다. 그 책의 발간사에서 도반인 서울대 김규원 교수는 법구경의 가르침을 음식에 비유하여 현미와도 같다고 했습니다. 요지는 "현미는 소박하기 때문에 씹기가 거북하고 잘 넘어가지 않으며 맛도 매우 거칠기 때문에 부드럽고 윤기가 흐르고 감칠맛이 있는 백미와 비교하면 먹기가 쉽지 않지만, 그 심오함 때문에 여러 번 천천히 씹어서 그 맛을 깊이 음미하면서 자주 먹다보면 현미의 깊고도 충만한 맛을 느끼게 되듯이 《법구경》의 가르침도 현미와 같아 충분히 음미하면, 소박하면서도 깊은 맛이 있고 건강에 도움을 준다."라는 내용입니다. 참으로 공감이 가는 말입니다.

부처님의 가르침은 세월의 산맥 속에서 잊혀져 간 영혼의 안식처였고 윤회의 바다에서 명멸해 간 수많은 영혼들의 피난처였습니다. 일찍이 《법구경》의 주석을 쓰면서 붓다고싸는 부처님에 대하여 이와 같이 노래했습니다.

커다란 미혹의 어둠 속에 싸인
이 세상에서 세계의 궁극까지 보는
빛나는 초월의 힘으로
고귀한 가르침의 찬연한 빛을 밝히셨다.

《법구경》의 시는 '남전南傳' 423개 내지는 '북전北傳' 752~950개의 시를 포함하고 있는데, 이 만화의 지면 관계상 필자는 남전 423개에서 94개의 시를 임의로 발취하여 간략한 설명을 했습니다. 선정과 그 해설에 이르기까지 쉬운 일이 아니었습니다. 선정된 시는 다시 분류하여 가능한 한 초기 경전의 부처님의 가르침 자체를 원용하여 설명했습니다.

오래 전부터 부처님의 가르침 가운데 가장 필자의 가슴에 와 닿았던 《법구경》의 유명한 시구가 있습니다.

모든 살아 있는 것은 고통을 싫어한다.
그들에게도 삶은 사랑스러우므로,
그들의 존재 속에서 너 자신을 인식하라.
괴롭히지도 죽이지도 말라.

이 시는 철학적으로 난제에 속하는 존재와 당위의 연결을 가능하게 하는 명제이기도 합니다. 그 가운데서도 필자에게 가장 가슴에 깊이 아로새겨진 것은 '그들의 존재 속에서 너 자신을 인식하라.' 라는 것이었습니다. 이 말 속에서 우리는 부처님의 동체대비同體大悲의 사상에 대한 명확한 지표를 엿볼 수 있습니다. 《법구경》을 읽으면, 여러분은 신비하고 난해했던 불교가 여러분의 일상 속으로 들어와 여러분과 호흡을 같이하고 있다는 사실을 느낄 것입니다.

퇴현 전재성

구름을 벗어난 달처럼 세상을 비추는 빛

《법구경》은 부처님의 말씀을 기록한 경전입니다. '시'의 형식을 빌려 부처님의 가르침을 누구나 쉽게 이해할 수 있도록 한 것이지요. 그런데 저는 이 책을 작업하면서 '법구경'이란 말을 처음 들었습니다. '법 구경? 설마 민법이나 형법 같은 걸 구경한다는 말은 아니겠지?' 농담이지만 이런 생각을 하면서 막연하게 '불교와 관련이 있겠구나.' 하는 느낌만 받았습니다.

막상 원고를 받고 보니 걱정이 앞섰습니다. 불교의 깊은 진리는 물론이고 부처님에 대해서도 아는 것이 많지 않았는데 부처님의 말씀을 어떻게 만화로 표현할 수 있을까 고민에 빠졌지요. '난 시도 잘 읽지 않잖아!' 이런 생각이 머릿속에서 지워지지 않더군요. 부처님의 가르침은 하나하나 아름답고 훌륭하기만 한데 그 말씀을 만화로 표현하는 것은 어렵기만 했습니다.

하루에도 몇 번씩 고민하고 생각하다 보니 작업 시간만 한없이 늘어날 뿐 진척도 없고 막막하기만 했습니다. 포기할까 하는 마음이 들 때도 많았습니다. 그런데 이제 돌이켜 보니 그 과정에서 더 많은 자료를 찾고 공부하는 계기를 가진 것은, 또 부처님의 말씀에 귀 기울일 수 있었던 것은 분명 행운이었다는 생각이 듭니다.

책 내용 중에 '백거이'라는 사람이 '도림 선사'를 찾아 부처님의 대의란 무엇인가에 대해 묻는 장면이 있습니다. 그때 도림 선사는 이런 말을 하지요. "어떤 것이 되었든 죄악은 짓지 말 것이며, 모든 선을 받들어 행하라." 멀리서 찾아온 사람에

게 선사라는 분이 이런 뻔한 말을 하다니 조금 의아했습니다. 백거이도 저와 같은 생각이었는지 다시 물었습니다. "선사님, 그런 건 세 살 먹은 어린아이도 아는 것이 아닙니까?" 그러자 도림 선사는 "세 살 먹은 어린아이도 알고는 있으나, 여든 먹은 노인도 행하기는 어렵다."라고 답합니다.

'도덕을 중요하게 여겨라.', '법과 규범을 잘 지켜라.' 이런 말들은 누구나 잘 알고 있습니다. 하지만 그 말을 실천하는 것은 어렵기만 합니다. '성인(聖人)' 이란 어렵고 힘든 일을 행했기에 주어지는 칭호가 아니라 누구나 잘 알고 있는 것을, 또 누구나 지켜야 할 일을 마음으로 따르고 행동으로 옮겼기에 존경을 담아 부르는 말일 것입니다.

우리가 세계 4대 성인 중 한 분으로 칭송하는 부처님, 즉 '깨달은 님' 의 생은 어떠했을까요? 그분의 가르침에는 어떤 것들이 있기에 사람들의 마음을 울리고 따르게 하는 것일까요?

비록 나이가 젊다고 해도 깨달은 님의 가르침을 힘써 행하면
구름에서 벗어난 달처럼 이 세상을 밝게 비추리라.

참사람은 멀리 있어도 히말라야의 산처럼 빛난다.
참사람이 아닌 사람은 밤에 쏜 화살처럼 가까이 있어도 보이지 않는다.

위 시는 제가 좋아하는 《법구경》 중 하나입니다. 어렵게 느껴지나요? 그럼 저와 함께 만화 속 《법구경》으로 들어가 보는 건 어떨까요?

| 차 례 |

불교佛教 바로알기

제1장 《법구경》은 어떤 책일까?

가르침을 전했기 때문에 그것을 모아 놓은 양도 방대하단다.
난 조금 더 가르칠게.

부처님은 훌륭한 시인이기도 했지.
나 보기가 역겨워 가실 때에는….
이봐! 그건 내 시라고!

그래서 부처님은 가르침을 사람들이 외워 마음에 새기기 좋게
가르침을 줄게.
어려워서 싫은데.

중요한 가르침을 아름다운 운율의 시로 만들어 제자들에게 전파했단다.
헉! 아름다워!
쏼라쏼라

《법구경》은 그러한 시들 가운데 가장 교훈적인 것들을
좋은 걸로 잡아라!

후세에 엮은 것이란다.
잡았다!

그래서 스토리가 있는 소설과 같은 책이 아니라
우린 안 나와?

아름다운 시들을 모아놓은 선집이라고 해야 옳을 것 같아.

《법구경》의 시들은 일관된 배열을 갖고 있는 것은 아니지만
시작이 어디지?
?

무상에 관한 시,

악행에 관한 시,
에잇!
나인!
잔디를보호합시

분노에 관한 시 등으로 분류되어, 나름대로의 체계를 갖고 있지.
크아아아

또한 부처님의 가르침이라 불교의 향기가 난다는 측면에서는

《법구경》의 모든 시들은 일관성을 지니고 있다고 보아야겠지.

《법구경》은 팔만대장경 가운데 전 세계적으로도 가장 많이 읽히는 책이기도 하단다.

원래의 책이름은 빠알리어*로 담마빠다(Dhammapada), 또는 산스크리트어**로는 다르마빠다(Dharmapada)라고 해.

* **빠알리어** : 빠알리어는 고대 인도의 언어로 주로 서쪽 지방에서 사용하던 일종의 방언이었다. 원시 불교 경전에 사용했는데 오늘날에는 스리랑카, 미얀마, 태국 등에서 불교 행사를 할 때 사용되기도 한다.

** **산스크리트어** : 고대 인도에서 사용했던 언어로 주로 글을 쓸 때 사용한 고급 문장어이다. 불경이나 고대의 인도 문학을 기록한 언어이다.

진리라고 하면 너희들에게는 너무 어려운 말일지도 모르겠다.

그냥 우리를 행복으로 이끄는 길이라고 이해하면 좋을 것 같아.

무지의 어둠 속에서 우리가 가야 할 길을

비추어 주는 횃불이기도 하고,

태풍이 몰아치는 삶의 바다에서
우아!

안전하게 정박할 수 있는 섬이기도 하지.
휴~ 살았다.

그래서 《법구경》은 불교도가 아닌 사람에게는
저요?
법구경

삶의 이정표를 제시해 주는 교양서이고,
오오!

불교도들에게는 짧게 서술된 시들이 광대한 부처님의 가르침과 깊이 연관되어 있어서
아!

팔만대장경의 입문서와 같은 역할을 한단다.
아~ 길이 보인다.

모든 죄악을 짓지 않고
모든 착하고 건전한 것을 성취하고
자신의 마음을 깨끗이 하는 것,
이것이 모든 깨달은 님*의 가르침이다.
죄짓지 말고
착하게 살자?

*깨달은 님 – 부처님

팔만대장경 안에 있듯이 부처님의 가르침은 너무도 호한하지.
호한?
그건 오한!

호한하다는 것은 '크고 넓다.'는 뜻을 가진 말이야.
아!

그래서 당나라 때에 백거이 같은 대시인도 불교가 무엇인지 알 수가 없었어.
도대체 불교란 무엇인가?
도림선사에게 물어봐~.

제악막작
(諸惡莫作)
중선봉행
(衆善奉行)
자정기의
(自淨基意)
시제불교
(是諸佛敎)*

*해설은 앞페이지 3단 참조

그 가운데, '일체의 악하고 불건전한 죄악을 짓지 않는 것' 을 다루고 있는 것을 '율장(律藏)' 이라 하고,
돈 내놔!

'모든 착하고 건전한 것' 을 다루고 있는 부분을 '경장(經藏)' 이라 하고,
힘드시죠?
고마워, 젊은이

'마음을 깨끗이 하는 것' 을 다루고 있는 것이 '논장(論藏)' 이란다.

《법구경》의 시들은 부처님의 말씀이긴 하지만,
語
語
語
하지만?

한편으로는 인류의 지혜를 담은 격언적인 성격을 띠고 있단다.

부처님은 원래 왕자로서 태어나 당시의 학문을 섭렵했기 때문에,

유구한 인도 역사에서 전해 내려오는 교훈들에 대해서 너무나 잘 알고 있었지.

부처님은 우리가 행복한 길을 갈 수 있도록,

그러한 교훈들을 인용하여 제자들에게 가르쳤던 것이지.

* 마하바라타(Mahābhārata) – 산스크리트어로 '바라타 왕조의 대서사시'라는 뜻이다. 인도의 2대 서사시 중의 하나로, 바라타 족의 전쟁을 읊었고, 오랜 세월 구전되어 오다가 18편 10만 송의 시구와 부록으로 정리되었다. 높은 문학적 가치를 지녔을 뿐 아니라 종교적 감화를 주는 것으로 알려져 있다.

** 마누스므리띠(Manusmṛti) – 힌두 최고의 법전이다. 종교, 사회, 정치, 경제를 둘러싼 고대 인도인의 복합적인 생활양식을 잘 드러내고 있으며 전체 12개 장, 2,683개 절로 구성되어 있다. '마누 법전'이라고도 한다.

어떻게 시들을 모았느냐에
따라서도
난 이렇게
모았어.
나랑 다르네.

여러 가지 경전들이 있을 수가
있거든.
나도
있다고!

그래서 같은 《법구경》이라도
똑같아 보이는데?
법구경
법구경

시들의 숫자나 해설이 차이가 나는 여러 가지 종류가
있단다.
어라? 조금씩
다르네?

《빠알리 법구경》은 부처님이 살던 당대
(B.C 6세기) 인도의 언어였던
쏼라~ 쏼라~
쏼라~
쏼라~ 쏼라
쏼라~

빠알리어로 이루어진 것으로
무슨 말이에요?
빠알리어.

스리랑카, 태국, 미얀마, 캄보디아 등에서
인도
미얀마
캄보디아
스리랑카

자기 나라의 문자로 표기하여

오늘날까지 전해 내려오는 가장 간략한
판본이지.

그리고 인도에서 발견된 것으로는
산스크리트어로 쓰인
찾았다!

'스스로 말씀 한 것의 모음'이라는
의미의 《우다나바르가》와
최신 말씀 《우다나바르가》가 나왔어요!
신보
부처님 말씀
CD 법구경
말씀

쁘라끄리뜨어로 쓰인
《간다리 다르마빠다》,
《간다리 다르마빠나》도 있어요!
간다리다르마빠다

빠알리어와 유사한 언어로 쓰여진
《빠뜨나 다르마빠다》가 있어.
그리고 마지막으로!
그만해!
퍽!

이것들은 《빠알리어 법구경》보다 많은 시들이 수록된
것이 특징이란다.
우아~많다.
빠알리어

이 《법구경》이 불교가 전파되면서
여러 나라 말로 번역되기 시작했지.
이게 무슨 소리지?
유기란에게 맡기자.

중국 오(吳)나라의 유기란이
《다르마빠다》를 번역하면서
귀찮은데 번역기 돌려 버릴까?

'법구경(法句經)'란 이름이
생겨났어.
앞으로 네 이름은 《법구경》이다.

중국의 한역은 3세기 초에
시작하여,
한역?
한역[漢譯]
한문으로
번역함

11세기에 이르기까지 4종류의
번역으로 출간되어, 오늘날
우리가 아는

팔만대장경 속에 편입되어 있는데,
그것들은 다음과 같지.

1. 《법구경》 2권 : 오의 유기란(224년)

2. 《법구비유경(法句比喩經)》 4권 :
서진의 법구(法炬)·법립(法立)의
공역(209 ~ 306년)
한역기념 사인회

3. 《출요경(出曜經)》 30권 :
후진의 축불념(符秦竺佛念)
(398 ~ 389년)

4. 《법집요송경(法集要頌經)》 : 송의
천식재(天息災)(980 ~ 1000년)
편집장님, 한역이
늦어지네요.
죄송합니다.

이 가운데 《법구비유경》과 《출요경》은 진리의 말씀이
있기까지의 방대한 인연담이 첨가된 것이고,
우리가 이렇게
만난 것도 인연이죠.

《법구경》과 《법집요송경》은 시로 이루어진
진리의 말씀만 기록된 것이야.

이 가운데 남방 계통의
《빠알리어 장경》을 모본으로
이리 와 봐.
응? 또?
빠알리어

번역한 것이 《법구경》과
《법구비유경》이고,
우린 이걸
한역하자.
오호!
빠알리어

북방 범어 계통의
《우다나바르가》를 모본으로 한 것이
그럼 우린…
뭘 하지?

《법집요송경》과 《출요경》이야.
이걸로 하자!
O.K.
우다나바르가

원래의 《법구경》은 남방 계통의
26품 423개의
26품? 난
정 1품인데.
그게
아니라고요!
퓹!

아름다운 시로 구성되었는데,
나는 아직 배고프다!

북전에는 많은 가르침이 더 추가되어
《법구경》은 39품 752개,
추가하신 것
나왔습니다.
!

《법집요송경》은 33품 950개의
시들로 이루어졌지.
추가요.
또?

티베트에 불교가 전파되기 시작한 것은

7세기인데,
옛날 옛날
7세기에 말이지.

중국보다는 늦지만
늦었다고 생각할 때가
가장 빠른 때이다.
뭔 소리고?

《법구경》의 하나인
《우다나바르가》는
우다나바르가
우리가 한 건데~

일찍이 티베트어로 번역되어
꾸역꾸역
번역번역
웅~
웅~

《티베트대장경》에 들어가 있단다.
오~오~!
킁킁!

티베트에서는 《법구경》을 《체두죄빼촘》이라고 부른단다.
체두죄빼촘!
하나같이 다 어려운 발음이네….

서양에서는 덴마크의 학자 파우스 뵐이
Hi
How are you?

1855년 《법구경》을 라틴어로 번역하여
그런가?
잘하나?
잘할까?

신간이요!
신간!
법구경

유럽에 전파하면서 《동방성서》라고 불렀어.

이후 《법구경》은 전 세계에 알려져서

인류의 고전으로 사랑받고 있지.
우가우가?
우가

오늘날 《법구경》은
《법구경》에 MP3, DMB, 카메라 기능을 추가…!
퍽

영어, 독어, 불어, 중국어, 일어 등 전 세계 수많은 언어로 번역되었어.
법구경!
뭘 읽어?

제2장
부처님은 누구신가?

부처님은 누굴까?
절에 있는 그림의 아저씨?

부처님이란….
그건 석가모니 인가?
글쎄.

원래는 일반명사로 '깨달은 님'이란 뜻을 지니고 있지.
깨달았도다!

따라서 한 분이 아니고 여러 분일 수밖에 없겠지.
깨달았다!
나도
오~진리여~

부처님 이전에도 부처님이 있었고,

부처님 이후에도 부처님이 있겠지.

＊석가모니(釋迦牟尼) – 샤카 족의 성자라는 의미인 산스크리트어 '샤카무니Sakyamuni'의 한자 음차이다.

* 우주기(宇宙期=劫) : 사방 7킬로미터나 되는 바위산에 백 년에 한 번씩 천녀가 내려오는데 그때 옷깃이 스쳐서 닳아 없어지는 기간을 말한다. 인도의 대우주기를 신년(新年)으로 환산하는 방법에 의하면 43억2천만 년에 해당한다.

바로 그분, 즉 부처님께서 지은 시가 바로 《법구경》의 시들이란다.
아~ 멋진 구절~! 적어놔야지.

그러나 부처님을 일반적 의미의 저자라고는 볼 수 없어.
그럼 대필작가?!

신약성경이 예수의 말씀을 기록한 것이지만
예수님 말씀입니다.
신약성경

예수의 저작이라고 볼 수 없는 것과 마찬가지야.
예수님 말씀인데 예수님이 쓴 게 아니네.

석가모니 부처님은 40여 년간 사람들에게 가르침을 전했는데,
교재는 없나요?

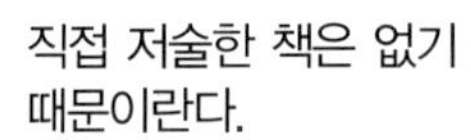
직접 저술한 책은 없기 때문이란다.

그럼?
어떻게?

단지 당대의 제자들이 부처님의 언행을 외워서
어쩌지?
외워버리지.

입에서 입으로 전해 내려오던 것을 모아
속닥속닥
정말?

합송하여 확인한 것이 불경이지.
랄~ 라~ 라~

불경의 숫자는 상당히 방대한데,

《법구경》은 그 가운데 하나에 불과한 거야.

그렇다면, 이 《법구경》을 편집한 사람은 누구일까?
나?

여기에는 일치된 견해가 없어.
우리 할아버지가 했어.
내가 했어.
아빠가 했어.

남방의 불교권에서는 《빠알리어 법구경》이
내가 알려 주지.
남 방

아난다가 편집한 것이라는 기록이 있으나 확실하지 않아.
확실하다니까 설라므네!
아난다 존자상

그리고 그 《법구경》에는 각각의 시가 출현하게 된 배경이

인연담이라는 형태의 주석으로 남아 있는데,
주석?
주석(註釋)
낱말이나 문장의 뜻을 쉽게 풀이함.

이것들은 모두 5세기 붓다고사의 저술로 알려져 있어.

원래부터 인연담이 함께 기록되어 있는 《우다나바르가》에 따르면,

샤카족은 지금으로부터 2500여 년 전

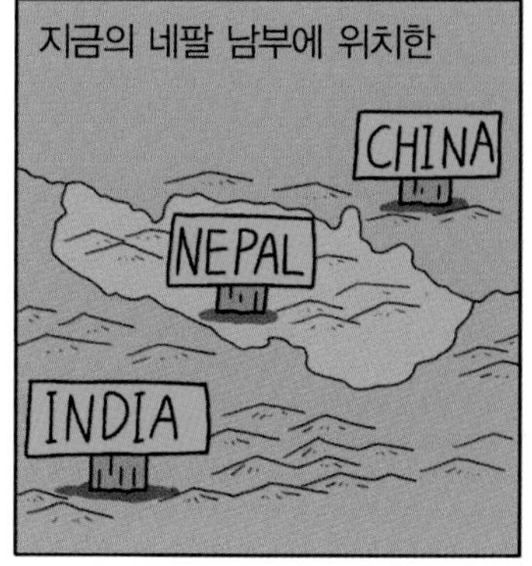

그곳에서 석가모니는 기원전 463년 슈도다나 왕의 장남으로 태어났어.

성은 고타마, 이름은
싯다르타로 지읍시다.
슈도다나

석가모니는 생후 7일 만에 어머니
마야 부인과 사별했지.

이모인 제가 싯다르타를
키우도록 할게요.

부왕은 태자를 너무 사랑했어.
겨울, 여름, 우기의 각 계절에 알맞게
살 수 있도록 태자에게 세 개의 궁전을
지어 주겠다.

궁전은 참 아름다웠다고 해.

겨울 궁전은 9층,
여름 궁전은 5층,
우기의 궁전은 3층

궁전의 둘레는 향기로운 꽃이 핀
정원이 있었고

물을 내뿜는 분수들이 있었으며,

나무에서는 이름 모를 갖가지 새들이 지저귀고 있었고
땅 위에는 공작새들이 돌아다니고 있었거든.

거기서 태자는 어렸을 때부터
왕자로서의 교양을 쌓았어.

태자야, 오늘은 아버지를 따라
농경제에 가볼까?
와! 신나요!

농경제에 따라간 태자는
충격적인 장면을 보게 돼.
아!

거기서 태자는 농부가
밭갈이할 때에

날카로운 쟁기에 찍혀 상처를 입는 벌레가
퍽!

다시 공중을 날던 새한테 채여 가는 것을 보았단다.

모든 생명에 대하여 깊은 연민과
동정을 갖고 있던

예민한 태자는 그때 양육강식의
비참함을 느끼고,

나무 그늘로 물러나 고독한
명상에 들었지.

그런데 한 순간 모든 사유를 뛰어넘는 명상에
들어 그것을 극복할 수 있었단다.

훗날 이 잠시의 체험은 그가
깨달음을 얻는데,

최고의 수단으로
작용했다고 전해져.
나 어릴 적엔
그랬었지.

하여튼 타고난 기질이
영민했던 태자는
우리 아이는
영재예요.

주변 사람의 기대에 부응해 온갖
학문과 무예를 익히며,

훌륭한 청년으로 자라났어.
멋져.
멋지다.

그는 16세에 '야쇼다라' 라는 이름의 아가씨와 결혼을 했어.

16세라고? 부럽다~ 으허헝~
바보!

옛날 귀족들 사이에서는 모든 경쟁자를 물리쳐야

원하는 신부를 얻을 수 있는 부마 경선이 있었지.

이 부마 경선에서 싯다르타 태자는 지략과 용기가 출중하여

모든 다른 나라의 왕자들을 물리치고 야쇼다라를 태자비로 맞이할 수 있었지.

그러던 어느 날 태자는 마차를 타고 궁전 밖을 둘러보다가

네 종류의 인간의 모습을 보고 나서 큰 충격을 받았어.

흑인, 백인, 황인, 외계인?
에라이!

하하~ 그런 게 아니란다.

네 종류 인간은 말이지.

아주 늙은 노인,

*바라문 – 인도의 승려 계급인 브라만의 음역.

그래서 부왕은 태자가 왕궁을 떠나게 될까 염려하여
미리미리 예방을
해야 돼!
?

태자가 인간의 비참함이나 죽음을
암시할 수 있는
?

어떤 광경도 보지 못 하도록 신중을
기해서 키웠거든.

그래서 아무도 태자에게 그러한 광경을 보여주거나
이야기할 수가 없었단다.

태자는 아름다운 궁전과
화원에서 갇힌 채 지냈지.

태자는 밖에 나가 이 세상의 슬픔과
고뇌를 접할 수 없도록

아름다운 궁전이라는 담장에 갇혀
지냈던 것이야.

속세의 모습을 보고 큰 충격을 받은 태자는 진리를 찾아 출가수행자의 삶을 걷기로 작정했지.

태자는 어느 날 밤 모두
잠든 사이에 일어나

잠자는 아내와 어린 아들을
마지막으로 보고

찬나야, 가자.
예! 주인님.

시종인 찬나를 불러 총애하는
백마 깐타까를 타고 왕궁을
빠져 나왔어.

처음에는 갠지스 강변의 선인(仙人)
알라라 깔라마와
!
과외구함
-선 정-
선생님- 깔라마
라마뿟따

웃다까 라마뿟따를 찾아가
선정(禪定)을 배웠으나,
한 마음으로 사물을 생각하여 마음이
하나의 경지에
정지하여
흐트러짐 없이

흡족함을 느끼지 못하고.
2% 부족해.
뭐야!

다시 부다가야라는 고장의 산림에
서 고행을 시작했어.

감각기관의 제어, 호흡의 정지,

소량의 식사, 단식 등을 불사하며
단식
454일째
단식 사유가
뭡니까?

고행은 6년간 이어졌지.
6년이나!

그는 고행 중에 물까지 끊을
때도 있었고,

고행을 할 때에는 하루에
쌀 한 톨,
한 톨이
이만한 게
아닐까?

깨 한 알밖에는 먹지 않았지.
깨도 혹시?

그러다가 기력이 소진해서
기절하기도 했단다.

싯다르타가 쓰러졌을 때, 같이 수행하던 친구들이 모두
싯다르타 태자가 죽었다고 생각했어.

그러나 다시 살아났지.
응?

그 후에 싯다르타는 단지
굶는다든지 하는
굶는 것만으로
다이어트할 수 없지!
뭔
소리야!

육체적인 고행만으로는

완전한 지혜를 얻을 수 없다고
생각했어.
허전해.

그래서 싯다르타는 35세 되던
해에
내 나이
서른다섯이구나.

지친 몸과 마음을 가누기 위해
고행의 숲에서 나왔어.
나가자.

고행에 숲에서 나옴으로써 두 번째
출가를 감행한 셈이었지.
출가[出家]
세속의 집을 떠나
불문에 드는 것을
일컫는 불교 용어.

*유미죽(乳味粥) – 우유에 곡식을 넣어 끓인 죽으로 불가에서는 '깨달음의 음식'이라고도 한다.

*사성제 – 정보란 참조.

그는 결국 인간의 모든 비참함과
괴로움의 원인을 발견했지.

아침 햇살이 밤의 어둠을
몰아내고 나무들과

전원, 바위, 바다, 강, 동식물과
인간과 모든 존재들을 비추기
시작할 때에

완전한 지혜의 빛이
그의 마음속에서 일어나

인간의 괴로움과 그 괴로움에서
벗어나는 길을 통찰했단다.

으아~ 너무 괴로워서
나라면 도저히 못 할 거야.
그러게….

싯다르타도 그러한 완전한
지혜를 얻기 전에
정신적인 갈등이 있었지.

싯다르타는 강력하고 무서운
내적인 전쟁을 치렀어.
BOOM

그분은 우리가 진리를 보는 데
방해가 되는
진리다!
진
리

우리 몸속의 모든 생리적인
현상이나 식욕과 탐욕 등을
정복해야 했어.
오줌 마려!
진
리
배고파.

또한 자신을 둘러싼 죄 많은 세상의 나쁜 영향들을 극복해야 했지.

마치 전장에서 군인들이 적과 싸우듯이 인간의 번뇌와 싸워야 했어.
번뇌
번뇌

그리하여 마침내 승리한 영웅처럼 목적을 달성했지.

인간의 괴로움과 비참함의 비밀은 드디어 벗겨졌던 것이지.
유레카

그렇게 얻은 지혜를 가지고 부처님께서는 무엇을 했을까?
眞理

먼저 많은 사람에게 그것을 가르치려고 했으나 주저했어.

왜 주저했을까요?

자신이 깨달은 지혜의 숭고함과 심오함 때문이었어.
眞理

부처님은 겨우 소수의 사람들만이 그것을 이해할 수 있을 거라고 걱정했단다.
眞理

하지만 생각을 바꾸어 가르침을 전하기로 결심했어.
眞理

그 동기는 무엇일까?
무엇일까?

자신이 깨달은 바를 가능한 한 분명하고 간명하게 가르치는 것이 자신의 의무라고 생각했고,
작고
간단하게.
眞理

진리는 스스로 개인들의 성향이나 업(業)에 따라
난 이만하고
난 이만해.

알맞게 어떤 강력한 영향을
주리라고 생각했기 때문이야.

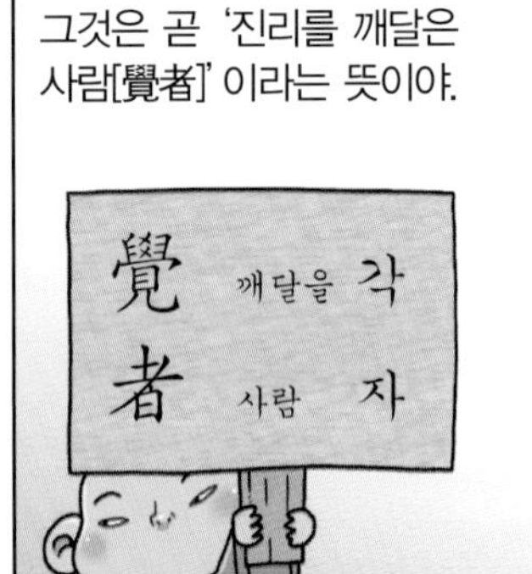

부처님의 첫 가르침을
초전법륜(初轉法輪)이라고 하는데,

베나레스 근처의 녹야원(Mrgadava)
에서 시작했어.
녹야원
(鹿野苑)

처음 그 고행주의자들은
부처님을 고행을 포기한 타락한
수행자로 생각해서
속닥속닥
구시렁
구시렁

받아들이지 않으려고 했으나,
흥!

부처님께서 다가오자 그분의 모습에서
풍기는 정신적인 아름다움이 너무나도
컸고,
광채가!

그분의 가르침은 부드럽고
확신에 차 있었기 때문에

그들은 곧 마음을 돌이켜 귀를
기울였단다.

초전법륜의 결과는 어떠했을까?

부처님의 가르침을 이해한 나이든
곤당냐가 먼저 자신의 선입견을
버리고
대단한
분이시다.
쏼라 쏼라

부처님의 가르침을 받아들여
제자가 되었어.

그리고 다른 네 명의 수행자들도 곧 그의
뒤를 따라 제자가 되었지.

그래서 승단이 성립했고,

곧이어 부유한 젊은 상인 야사가 제자가 되고,
저도 제자로 받아 주세요.

가르침을 편 지 3개월 만에 60여 명의 제자가 생겨났지.

부처님께서는 이들에게 충분히 진리를 가르치고

그들을 사방팔방으로 보내 가르침을 전파하기 시작했어.
전파!
전파!
전파!

부처님께서 말씀하신 가르침의 핵심은
밑줄 쫙!
핵심 Point
말씀의 핵심

'여덟 가지 고귀한 길(八正道)'* 이었어.

*팔정도 – 정보란 참조.

그 다음에 부처님께서는 또 무엇을 했을까?
뭘 했을까요?

이교도를 개종시키러 우루벨라로 가셨어.

거기서 부처님은
우린 불을 숭배한다.

교단의 우두머리인 깟싸빠를 교화했지.
아잉~ 좋아~

그가 부처님을 따르자 그를 따르던 모든 무리들도 불교로 개종했어.
대장이
개종하면
우리도 한다.

그리고는 회의주의자로서 고행자였던 싼자야의 수제자인
진리는 없어!
의심하자!

사리뿟따와 목갈라나를 교화시켰어.
내 제자들!

나중에 그들은 부처님의 수제자가 되어 사리뿟따는 지혜 제일의 제자,
지혜 과목을 담당합니다.

목갈라나는 신통 제일의 제자가 되었단다.
신통 담당이오.

부처님은 자신의 가족을 버린 뒤에 다시 가족을 다시 만났을까?

7년 뒤에 부처님이 라자그리하에 머물 때였어.
속보요!

왕께서 돌아가시기 전에 꼭 한번 만나보고자 하십니다.

부처님은 전갈을 받고 왕궁으로 가셨어.

부왕인 슈도다나 왕은 모든 대신과 친지를
데리고 마중 나와 기쁘게 부처님을 맞이했단다.

Welcome!!

부처님은 모든 정성을 기울여
태자 싯다르타는 이미 사라졌고,

자신은 모든 존재를 동등하게 사랑하고 자비롭게 대하는
깨달은 님으로 변했다는 것을 부왕에게 설명했어.

부처님은 자신을 깊이 사랑해서 이별을
애통해 하던 아내를 만났지.

부처님은 아내와 아들에게
뿐만 아니라

모여든 모든 친지에게

일체의 고뇌를 치유하는 진리의 가르침을
전했어.

그래서 그분의 아버지, 아들, 아내와 사촌 형제인 아난다, 조카인 데바닷타 등이 모두 가르침을 듣고 제자가 되었어.
아들
형님
출석부

그리고 좀 더 후대의 일이지만 싯다르타 태자의 이모이자 유모였던
싯타르타는 제가 키웠지요.
PRESS

고타미가 출가하여 비구니 교단을 형성했단다.
조카를 따라가겠어요.

그녀가 정식으로 수행녀가 되자 그녀를 따라 야쇼다라 비와
밀어주세요.

다른 많은 여인들이 출가하여 비구니 교단을 형성했어.

부왕인 슈도다나 왕은 모든 가족, 즉 태자인 싯다르타와
가지 마~

조카인 아난다, 데바닷타, 며느리인 야쇼다라,
너희들도?!
아버님 죄송해요.

손자인 라훌라를 비롯해서 많은 친지들이 출가하여
손자까지!

수행의 길을 가는 것에 대하여 매우 슬프고 괴로웠기 때문에
아버지…
크흑! 이럴 수가!

부처님에게 자신의 심정을 하소연했어.

많이 괴로우시겠구나.

*불교의 가르침 – 법(法)으로 번역한다.

부처님의 발에 상처만 주었을 뿐 실패했어.
제길!
아야!

오히려 데바닷타는 자신이 지은 악업 때문에

무서운 죽음을 맞이하고 말았어.

부처님은 얼마동안 가르침을 전파했을까?
10년 정도요?

부처님은 45년 동안 가르침을 전파했어.
우와!

보통 제자들과 함께 1년에 8개월간의 건기에는 여행을 하면서 설법했고,

3개월간의 우기에는 여러 왕들이나 부자들이 지어 준 정사에 머물며 수행하고 가르침을 전했다고 해.

부처님이 우기에 머물렀던 승원 중

유명한 곳으로 기원정사나 죽림정사 등이 있어.
경치 좋다~

부처님이 교화한 사람들이나
제자들은

모든 종족과 모든 국가와 모든 계급의
사람들이었어.

그는 부유하거나 가난하거나
나랑?! 가난뱅이랑?!
부처님은 상관 안 해요.

귀족이거나 천민이거나
가리지 않고
천민이랑 같이 서다니!

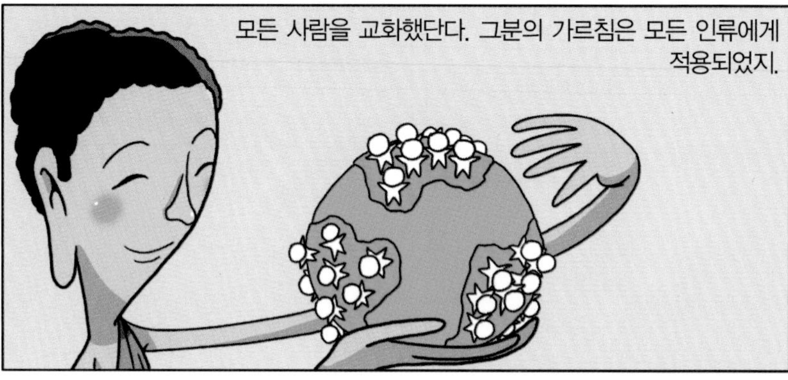
모든 사람을 교화했단다. 그분의 가르침은 모든 인류에게
적용되었지.

자, 이제 부처님 생애의 마지막 여행에 관해 귀를 기울여 볼까?

부처님은 '올바르게 원만히 깨달은
님' 이 되신 지 45년 만인
벌써 45년이 구나.
5月

5월 보름, 생애의 마지막을 알고
베나레스에서 192킬로미터 떨어진

쿠시나가라에 다음 해 2월 중순
무렵에 도착했어.

쿠시나가라의 우빠바르따나에 있는

말라족의 싸라쌍수에서 관습에
따라

*삼매 – 잡념을 버리고 하나에만 집중하는 상태.

**열반 – 모든 번뇌에서 벗어나 불생불멸의 법을 체득한 경지. 불가에서 죽음을 이르는 말.

제3장 정신의 장

이제 부처님에 대해서 조금은 알겠니?
네!

이제 다 알았으니 전 이만~.

잠깐!
턱!

《법구경》은 이제 시작이란다.
농담이었어요.

그럼 아름다운 《법구경》의 시 속으로 들어가 볼까?

정신이 모든 것들을 앞서가고
정신이 그것들의 주인이고 정신이 만든 것이니
만약에 사람이 삿된 정신으로
말하거나 행동하면
괴로움이 그를 따르리,
수레바퀴가 황소의 발굽을 따르듯.
정신이 모든 것들을 앞서가고
정신이 그것들의 주인이고 정신이 만든 것이니
만약에 사람이 깨끗한 정신으로
말하거나 행동하면
즐거움이 그를 따르리,
그림자가 자신을 떠나지 않듯.

어… 어렵다.
음….

자~ 쉽게 풀이해 줄게.

우리가 체험하는 모든 것들은 정신에서 비롯된단다.

예를 들어, '사과를 먹고 싶은 생각이 들어서 냉장고에서 사과를 꺼내서 먹는다.'고 하자.
사과가 먹고 싶어! 어떻게 하지?
꺼내 먹어.

사과를 먹고 싶다는 생각은 정신의 활동이고,

사과를 꺼내먹는 행동은 그 다음에
따라오는 것이야.
!

이처럼 우리의 신체적 형성과
아삭!

언어적 형성과 정신적 형성,
맛있다!
아삭~!

즉 행동과 언어와 생각은 모두 정신의
활동에서 나온다는 말이지.

우리가 악하고 불건전한
정신으로
행

말하고 행동하고 생각하면,

필연적으로 불쾌한 환경과 체험이
따라올 거야.

이것은 마치 수레를 끄는 황소의
발굽을 따르는
넌 날 따르게
되었어.

수레바퀴와 같아.
발굽만 쫓아가는
인생이여~

수레바퀴는 수레의 무거운
짐을 싣고서
무거워….

수레를 끌고 가는 황소를
뒤따르지.

그 동물은 이 무거운 짐에 얽매어 그것을
떠날 수 없어.
빨리 안 오고
뭐해?
무거워서 갈 수가
없어요.

그러나 우리가 깨끗한 정신,
에구에구.

즉 착하고 건전한 정신으로 말하고
제가 들어 드릴게요.
고마우이.

행동하고 생각하면,
헉!
헉!

즐거운 환경과 체험이 다가올 거야.
맑음
0월0일
오늘 할머니를 도와 드렸다
기분이 너무 너무 상쾌했
좋은일을 많이

마치 그림자가 자신을 따르듯,

마음과 몸이 모두 가벼워지겠지.
야호!

우리가 어떻게 우리의 주변을 체험하느냐 하는 것은

그것을 우리의 정신이

어떻게 해석하느냐에 따라 달려 있어.
무거우니까 가지고 도망가면 되겠구나.

우리가 그것을 이치에 맞지 않는 잘못된 방법으로 해석하면,
고맙다는 말은 됐어요.
쌩!
……

물건은
가졌는데….

고통을 느끼게 되지.
이 공허함은
뭘까?

이치에 맞는 올바른 방법으로 해석해야 우리는 있는 그대로의 진리를 깨닫는 행복을 느끼게 된단다.
스윽!

결론적으로 말하자면,

우리의 행복과 불행은

모두 우리의 정신에 달려 있다는 말이야.

지붕의 비유

잘못 엮어진
지붕에 비가 새듯,
잘 닦이지 않은
마음에는 탐욕이 스며든다.
잘 엮어진 지붕에
비가 새지 않듯,
잘 닦인 마음에는
탐욕이 스며들지 않는다.

마음?
탐욕?

마음은 정서적인 안정을
관장한단다.

예를 들어 기분이 안정되고 좋으면
아름다워.

정신적 활동이 원활하게 되어

공부를 잘할 수가 있어.
집중 집중

즉 마음이 잘 닦이면

정서적인 안정을 얻게 되어 공부를 잘할 수 있다는 말이야.

하지만!

만약에 마음이 잘 닦이지 않아
공부 좀 해!
조금 있음 끝나는데…

정서적으로 안정되지 않으면,
한 판 더 하지?
딱 한 판!

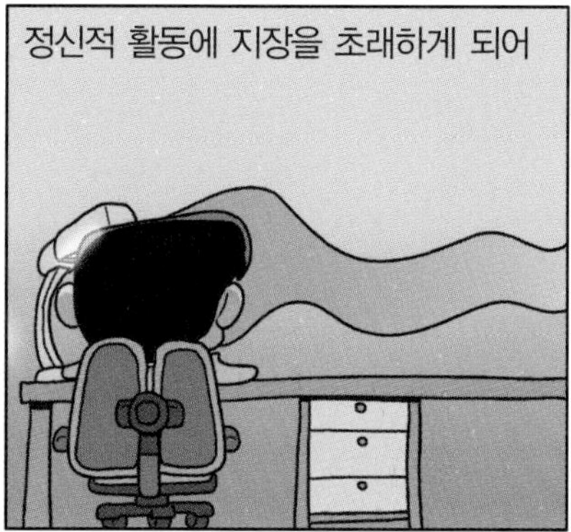
정신적 활동에 지장을 초래하게 되어

공부를 할 수 없게 되지.

우리의 마음은 정신의 지붕과 같아.

마음이 닦여지지 않아서 통일이 안 되고 잘 집중되지 않으면,

화살의 비유

흔들리고 동요하여 수호하기 어렵고
길들이기 어려운 마음을
지혜로운 사람은 바로 다루니
마치 활잡이가 화살을 바로 다루듯.

전장에서 백만 군사를 이기기보다
자기 자신 하나를 이긴다면,
최상의 전투에서 그는 승리하는
사람이다.

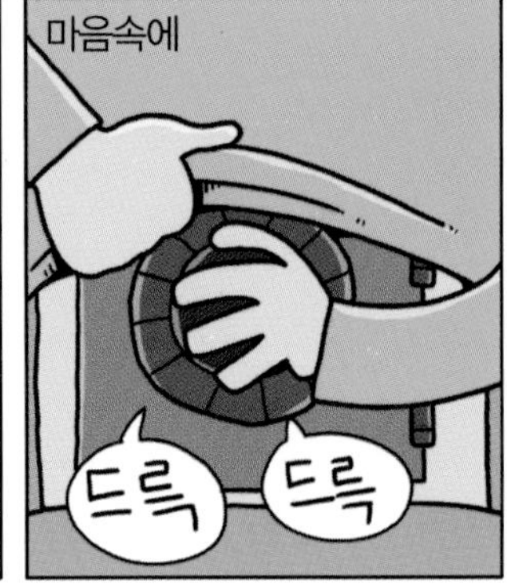

'미운 얼굴, 다정한 얼굴, 산, 바다, 휴대전화, 컴퓨터, 길가의 간판, 혼잡한 사거리, 달리는 차들, 복잡한 지하철 등등' 온갖 그림들이 들어와 있는 것을 발견한단다.

하지만 그 그림들을 마음속에서
내가 만든 거니까 내가 없어지라고 하면…

지워버리기도 쉽지 않지.
없어져라!

그 그림들은 마음의 활동인 욕망의 결과물이기 때문이야.
풉!
마음 주제에 비웃어!

따라서 욕망을 다스리고 없애야만,
욕망을
다스려라!
뭉게
뭉게

그 그림들이 사라진단다.
둥둥

활잡이가 활을 바로 다루듯,
우웅!

욕망을 다스리고 없애서

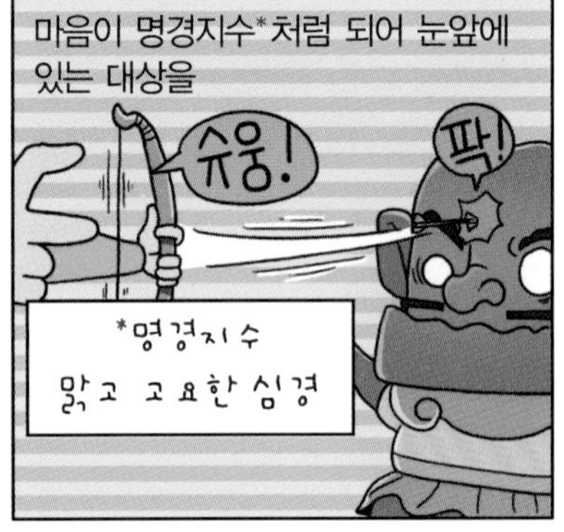
마음이 명경지수*처럼 되어 눈앞에 있는 대상을
슈웅!
팍!
*명경지수
맑고 고요한 심경

있는 그대로 바로 볼 수 있어야 해.
우아악!
웅웅웅~

넌 죽었어!

그런데 번뇌의 그림들은 백만 군사가 아니라
백만 군사다!
와~
와~
뒤에 봐봐!

밤하늘에 별보다 많이 우리 마음속에 들어와 있어.
와! 와! 와! 와!
!

그것을 제거하여 마음을 고요히 하는 것은
저 녀석들은 어디서 온 거야?
여기서!

앞뒤에서 난리야, 왜!

백만 군사와 싸우는 것보다 힘들어.
이얍!
으악!
이 녀석들은 죽지도 않아!

백만 군사를 이기기보다
모르겠다.

자기의 번뇌와의 싸움에서

승리하는 것이 더욱 어려운 것은 그 때문이지.

삶과 죽음

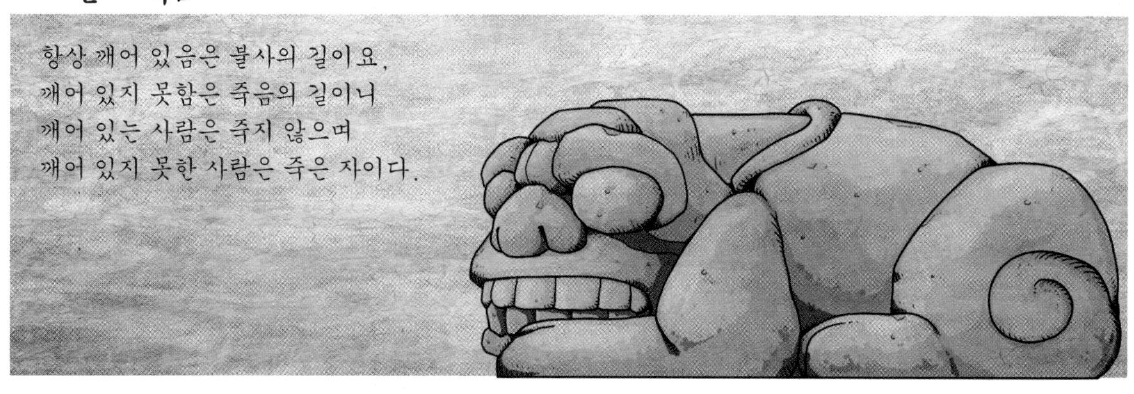
항상 깨어 있음은 불사의 길이요,
깨어 있지 못함은 죽음의 길이니
깨어 있는 사람은 죽지 않으며
깨어 있지 못한 사람은 죽은 자이다.

깨어 있음은 올바른 새김을 뜻해.
쿵
쿵

올바른 새김은 올바른 도덕적 관계로, 열린 마음을 통해

고요하고 민첩하게 현존하는 대상을 지각하는 것이야.

아잉!
재미없다!

그러나 새김보다 욕망이나 분노,
생각이 앞서면
악
'선' 이라고
고쳐 써.

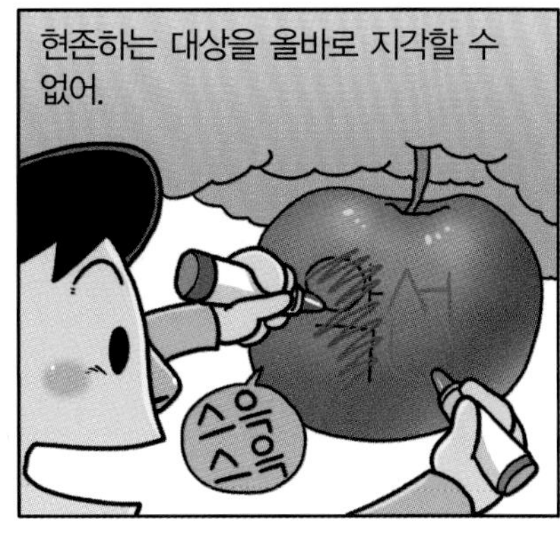
현존하는 대상을 올바로 지각할 수
없어.
선
스윽
스윽

올바른 새김이 작용할 때는
악
아이고
배야!
이제 '선'
이라니까!

모든 판단적인 사유나 해석적인
숙고는
악
어서 먹어.

인지되자마자 버려지는 거야.
그럴까?
잘못했어!

그러므로 마음은

확고하게 한 자리에 있어야
하는 것이지.
착!

그러나 마음의 토대가 되는 의식은,
의식

현재의 주어진 감각에 의해
의식

생각이 시작되고
지갑이다.

한 군데 머물러 있는 것이 아니라
내가
가질까?
의식
주인에게
돌려 줄까?

*희론(戱論) – 놀이 삼아 의논(議論)한다는 것이니,
부질없이 희롱하는 아무 뜻도 이익도 없는 말.

이러한 인식과정의
거품을 소멸시켜
후-!

청정하게 할 때 올바른
새김이 성립하며,

그것이 대상을 있는 그대로
나타나게 하지.

따라서 새김을 실천하는 것은
꿈틀~
꿈틀~

마음이 활동을 일으키지 않고
읍!

평정하게 되는 것이야.
쿵!

모든 의도나 사유는
계속 새기자.
어슬렁
어슬렁
쿵
쿵

직접적인 체험을 방해하는 장애로
작용한단다.
하지 마!
하지 마!

으라차차!

따라서 이러한 것이
소멸됨으로써
우라차!
으악!

새김 속에서 대상은 있는 그대로
나타날 수 있어.

그렇다고 해서 새김이
넌 움직이지는
못하니?
…….

그냥 수동적인 관찰에만 머무는
것은 아니야.
드드드드드
다닥
드득

두둥

오히려 새김은 강력한 기능을 발휘해.
멋지다!

그것은 우리를 현실 속에
뿌리 내리게 하며,

사유작용과 더불어 존재하지 않는
시간 속에서
어디로 가지?

방황하지 않도록 해 줘.
이쪽으로

시간은 단지 개념적인 정신의
산물이기 때문에
더 이상
못 가!

그 사실을 알아서 시간을
뛰어넘으면,

태어남과 죽음은 더 이상
존재하지 않는단다.

열심히 노력하여 항상 깨어 있어
스스로 다스리고 자신을 길들이는,
생각이 깊고 지혜로운 사람은
거센 흐름에도 떠내려가지 않는 섬을 만든다.

착한 일에 서둘러라.
악한 일은 그만두게 하라.
공덕을 쌓는 데 게으르면
마음이 악한 것에 탐닉한다.

우리는 항상 깨어 있어
열심히 정진해야 해.

우리의 마음은 욕망을 따라
움직이고
우헤헤~

감각적 체험을 통해 활성화되기
때문이야.

미국 일리노이 대학의
대니얼 시몬스 박사팀이

성인 46명의 실험 참가자들에게

농구하는 비디오를 보여주고,

한 팀의 사람들이 볼을 몇 번
패스하는지
Pass~!

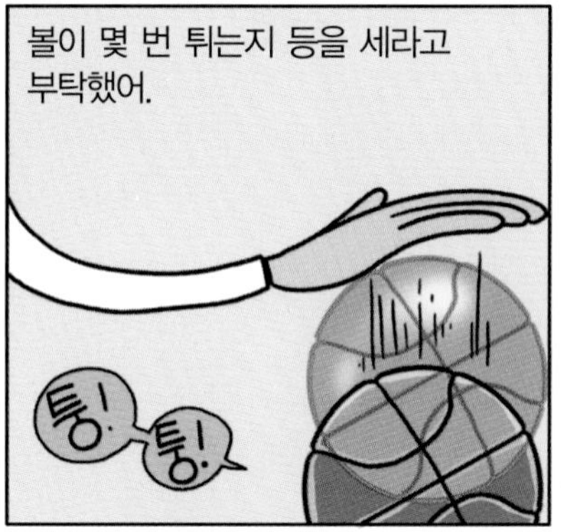
볼이 몇 번 튀는지 등을 세라고
부탁했어.
통!
통!

그리고 고릴라 복장을 한 사람과
우산을 든 사람이

농구하는 사람들 틈으로 헤집고
지나가게 했어.

그런데 실험 참가자의 절반
정도만
?
!

고릴라 복장을 한 사람과 우산을
든 사람의 존재를 알아챘다고 해.

실험참가자들의 볼을
헤아리려는 욕망이
공, 공, 공

원래의 비디오 화면을 고릴라
복장을 한 사람과

우산을 든 사람의 존재가 없는 마음의
비디오 화면으로 선택적으로 재구성했다고
볼 수 있지.

이와 같이 우리의 마음은 욕망을
따라 움직이고

감각적 체험의 유입을 통해 활성화
되는 것이란다.
맛있다.
맛있다.

감각적 체험은 감각자료,
드르륵

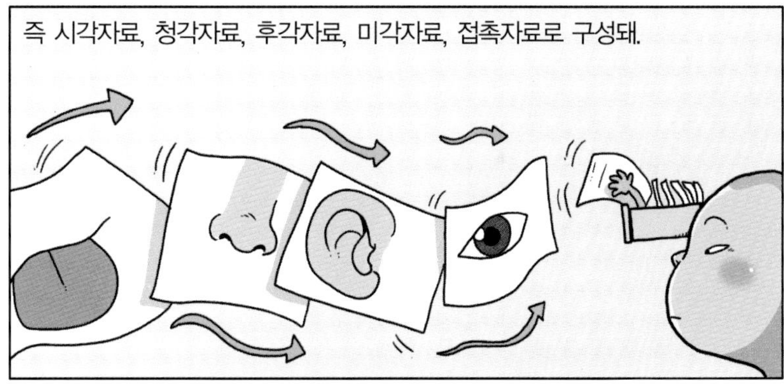
즉 시각자료, 청각자료, 후각자료, 미각자료, 접촉자료로 구성돼.

이러한 감각자료들은 의식에 의존하는
감각과 만나게 되는 거야.
스르륵

감각자료는 의식을 거쳐
어디 볼까?

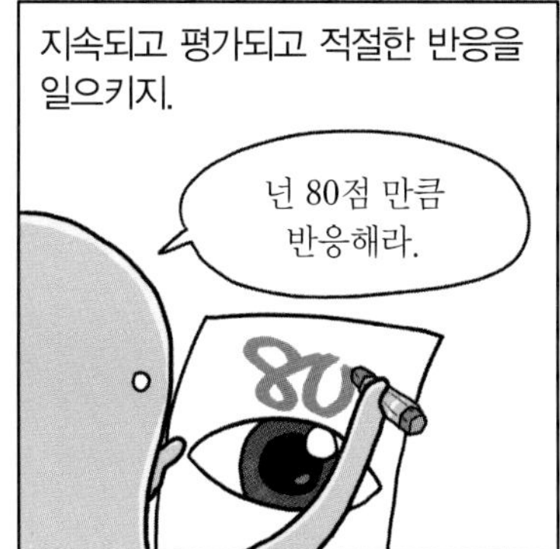
지속되고 평가되고 적절한 반응을
일으키지.
넌 80점 만큼
반응해라.
80

의식이 그러한 자료적 인상에 대하여
아무것도 하기 싫어.

이치에 맞는 정신활동을 하지 않으면 감각자료는
에잇! 다 타 버려라!

악하고 불건전하고 다듬어지지 않은 상태로 오염된단다.
멍~.

이러한 오염의 경향은 감각대상에 따라서 정해질 수 있어.
?

매력적인 인상은 탐욕, 혐오적인 인상은 분노,
이쁘다. 괴롭히자!
못생겼다. 때려주자.

중성적인 대상은 어리석음을 수반하는 오염을 일으키잖아?
바보다.

따라서 이러한 오염을 제거하기 위해
쓰윽~
우아악

우리는 그러한 사실에 대하여 새김을 확립하고
똑바로 일 안 할래?
죄송해요.

올바로 알아채야 하는 거야.
열심
열심

이렇게 자신을 다스리고 길들이는 사람은
가자!

거센 흐름에도 떠내려가지 않아.

거센 흐름에는 감각적 쾌락에 대한
욕망의 거센 흐름,
게임하자.
밤샘하자.

존재의 거센 흐름,
견해의 거센 흐름,
넌 틀렸어.

무지의 거센 흐름이 있다고 할 수 있어.
아무것도
모르겠다.

우리는 아직 생겨나지 않은 악하고
불건전한 상태의 발생을
졸졸졸~

방지하도록 '제어의 노력'을
기울여야 하고,
네덜란드
뚝방소년이냐.

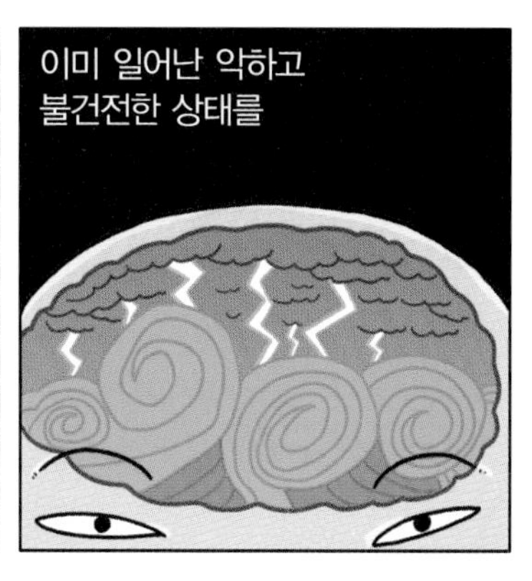
이미 일어난 악하고
불건전한 상태를

버리도록 '버림의 노력'을
기울이고,
쏴아아

아직 일어나지 않은 착하고 건전한 상태를
일으키도록 '수행의 노력'을 기울이고,
아름다운
걸 보니까.
아름다움을
기록해야지.

이미 생겨난 착하고
건전한 상태를

유지하는 '수호의 노력'을 기울여야 한단다.

제4장 꽃과 향기의 장

어? 뭐 보고 있어?

응, 위인전.
오~

나도 훌륭한 위인이 되어
후세에까지 떨쳐야겠어!

응. 잘해 봐.
뭔가 무시하는 거
같은데….

그런데 위인들의 이야기는
어떻게 알려졌을까?

사람들의 입을 타고
알려졌겠지.
그 사람
위인이더라.

꽃의 향기와 참사람의 향기

역사적으로도 위대한 인물의 사랑의 향기는
마더 테레사

동시대 사람들 사이로 퍼져나갔고,

시대를 초월하여 먼 훗날에도

인류에게 그 향기가 전해진다는 것을 우리는 알고 있지.
Mother Teresa

그러면 참사람이란 어떤 사람을 말하는 것일까?

저요!

참사람은 생명을 해치지 않으며,
휙!

주지 않는 것을 빼앗지 않고,
내놔!

애욕으로 인해 잘못을 저지르지 않고,

거짓말을 하지 않고,
내 IQ 430이다.
?

술을 마시고 취하지 않는 사람이야.

이러한 사람들이 참사람이라고 할 수 있지.
역시 나군요!
그래.

그런데 참사람보다 더욱 참사람인 사람이 있어.
그럼 난 더 참사람.

아니야! 더 더 참사람 할래!
다 해라!

아니! 더더더더더더더 참사람 해야겠어!

그들은 올바른 견해를 갖고,
왠지 부끄럽네.

올바른 사유를 하고,
올바른 언어를 사용하고,
THINK
TALK

올바른 행위를 하고,
올바른 생활을 하고,

올바른 정진을 하고,
올바른 새김을 갖고,
앞으로~ 앞으로~

올바른 집중에 들고,
올바른 지혜를 지니고,
집중 집중
참

올바른 해탈을 하는 사람들이야.

이런 사람은 참사람보다
더욱 참사람이라고 할 수 있어.
아!

저군요.

앞에 말한 걸
다시 정리하면

올바른 견해란,
見解

모든 조건 지어진 것이 괴로운
것이라는 사실과,

그것을 벗어나는 길이 있다는 사실을
아는 것을 말해.
?

또 올바른 사유란,

思惟

자비에 입각한 사유를 말하는 거야.

그리고 올바른 언어는

거짓말이나 욕이나 거친 말을 하지
않는 것이고,
착한 말,
거짓
없는 말,
비속어
없는 말!

올바른 행위는 살아 있는 생명을
죽이지 않고,
行爲

주어지지 않은 것을 빼앗지 않고,
이거면
충분해.
금은보화

사랑을 나눔에 잘못된 일을 하지 않는 것을 말해.

사랑이오~ 사랑~!

올바른 생활은 근면한 노력으로 얻고,
잘 잤다.

이마의 땀으로 벌어들인
슥삭
슥삭

자, 약속대로 1,000원 주마.
번쩍
번쩍

정당한 재산으로 사는 것을 말해.
야호!

또 올바른 정진은
뚜벅
뚜벅

악하고 불건전한 상태를 제거하고
아뵤!

착하고 건전한 상태를 계발하는 노력을 말하는 거야.
착하고건전한계발식

그리고 올바른 새김은

고요하고 민첩하게 지금 여기에서 현존하는 대상을 알아채는 것이며,

올바른 집중은

흐트러진 마음을 통일하여 명상의 대상에 초점을 맞추는 거야.

올바른 지혜는

올바른 견해와 올바른 사유가 완성된 것을
말해.

그리고 올바른 해탈은

'태어남은 부서졌고, 청정한 삶은 이루어졌고, 해야 할 일은 다 마쳤으니,
더 이상 윤회하지 않는다.' 라는

궁극의 진리에
도달한 상태를 말해.

이러한 덕행을 갖춘 참사람의
향기야말로

꽃향기보다 탁월해서
질투
나는데.

바람을 거슬러 온 세상에 퍼져
나간단다.

꽃을 따서 모으기에
정신을 빼앗긴 사람,
홍수가 잠든 마을을 쓸어가듯,
죽음의 신은 그를 잡아가네.

여러 가지 꽃을 따서 모으기에
정신을 빼앗긴 사람은
그 감각적 쾌락의 욕망이 채워지기도 전에
죽음이 닥쳐온다.

우리가 매혹당하는 꽃에 대하여 환희하고
환호하고 욕심내어 집착하면

향락이 생겨나고

향락이 생겨나면 괴로움이
생겨나는 거야.

사람들에게는

즐겁고 마음에 들고 사랑스럽고 감각적 욕망을
자극하고

애착의 대상이 되는,
내 거야!

시각으로 보는 형상,
청각으로 듣는 소리,

후각으로 맡는 냄새,
미각으로 맛보는 맛,
킁킁
날름

촉각으로 감지하는 감촉, 정신으로
인식되는 사실들이 있는데,

사람들은 그것들에 환호하고
욕심을 내어 집착하고 있어.

그것들에 대한 환희와

환호, 욕심,
까악!
내 거야!

애착을 느끼는 곳에 향락이
생겨나는 거야.
쿵!
!
!

향락이 생겨나면
야!
!

괴로움도 따라서 생겨나지.

그러나 우리가 꽃에 대하여 환희하지
않고 환호하지 않으며

욕심내어 집착하지 않으면,

향락이 생겨나지 않고,
. . . . . .

향락이 생겨나지 않으면,

괴로움도 생겨나지 않아.
그냥 가자.

그러면 우리는 평정한
상태에서
마음이
편해.

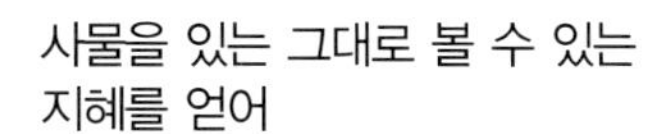
사물을 있는 그대로 볼 수 있는
지혜를 얻어

괴로움이 없는 불사(不死)의 행복을
누릴 수 있단다.

빛나고 아름다운 꽃이라 해도
향기 없는 꽃은 꽃이 아니다.
잘 가르쳐 준 말이라도 실천이 없으면
그 열매를 맺지 못하리.

아름답고 향기로운 꽃처럼
잘 말해진 진리의 말이라도
실천하는 사람에게만
바로 그 열매가 결실을 맺으리.

꽃향기는 바람을 거슬러 퍼져나가지 못하지만
진리의 꽃향기는 바람을 거슬러 퍼져나가지.

언행이 일치하고
나는 밥을 먹어도 한국의 독립을 위해 먹고 잠을 자도 한국의 독립을 위해 잔다.
누구야?
누구?

진리를 실천하는 참사람의 향기는
도산 안창호
헉 안창호다!
멋져!

바람을 거슬러 널리 퍼져나가기 때문이야.
도산 안창호

세상에는 네 종류의 사람이 있단다.

바로 이런 사람들이지.

천둥만 치고 비는 내리지 않는 사람,

비는 내리지만 천둥은 치지 않는 사람,

천둥도 치지 않을 뿐만 아니라 비도 내리지 않는 사람,

천둥도 칠 뿐만 아니라 비도 내리는 사람들이야.

비?
천둥?

어떤 사람은 말만 하고
여러분! 제가 대통령이 되면 이거 저거 요거 다 해드립니다!
와
와!

행하지 않는 사람이 있어.
이거 저거 요거 해준다면서요?
응?

그 사람은 천둥만 치고 비는 내리지 않는
뭐야!

비구름과 같은 사람이라고 할 수 있어.

어떤 사람은 행하기만 하고
복지관
어머! 올해도 선물이

말은 하지 않는 사람이 있어.
누굴까? 매년 이렇게….
와~ 와~

이 사람은 비는 내리지만 천둥은 치지 않는
?
어디 있지?

비구름과 같은 사람이라고 할 수 있어.
?
?

세상에 어떤 사람은 말도 하지 않고

행하지도 않는 사람이 있지.

너다….
시끄러!

그 사람은 천둥도 치지 않을 뿐만 아니라
……

비도 내리지 않는 비구름과 같은 사람이야.

세상에 어떤 사람은 말을 하고 행해.
좋아! 이번엔 악기를 배워 볼 거야!
나도!

그 사람은 천둥도 칠 뿐만 아니라 비도 내리는

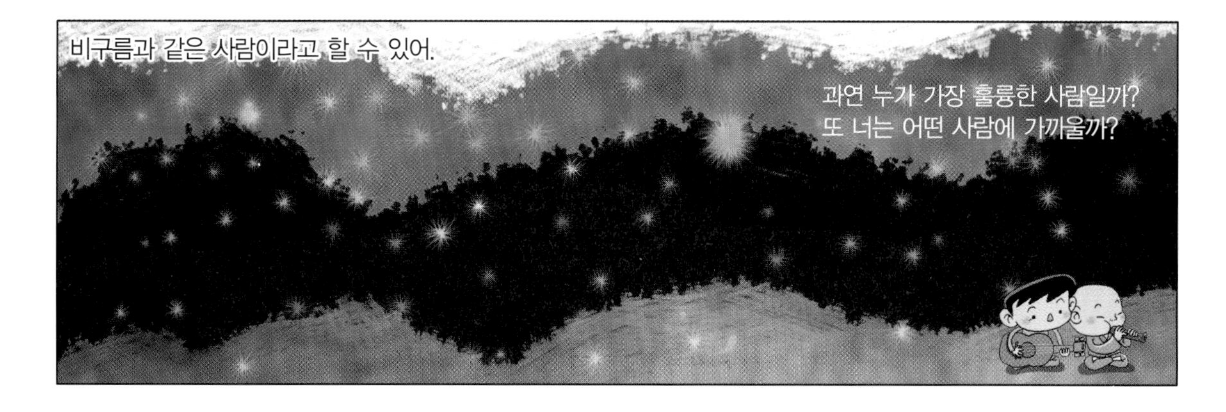
비구름과 같은 사람이라고 할 수 있어.
과연 누가 가장 훌륭한 사람일까? 또 너는 어떤 사람에 가까울까?

제5장 바보와 현자의 장

이 자식!
왜 그래?
꽉!

시험문제를 컨닝했더니
전부 틀린 답이잖아!

나도 모르는 걸
어떡해….
에잉! 바보
같은 놈!

그런 일이
있었어.
하하하!

그 녀석 바보로
유명하잖아.

학교뿐 아니라
온 동네에 유명하지.

길의 비유

잠 못 이루는 사람에게 밤은 길고
피곤한 사람에게 십 리도 아득하듯,
올바른 진리를 모르는
어리석은 사람에게 생사의 길은 멀다.

어리석은 자는 진리를 모르는 무지한 자를 말하는 거야.
무지?
아는 게 없다는 거야. 너처럼.

무지한 자에게는 탐욕과 성냄과 미혹이 생겨나는데,
어슬렁
이게!

그가 만든 그러한 업은 크거나 작거나
턱!
턱!

무릇 자신이 받아야 하며
무거워!

남이 받을 수 없어.
도와줘!
안돼!

그는 탐욕의 늪지대를 건너고,

분노의 산악을 오르고,

미혹의 사막을 건너면서

교훈을 얻을 때까지,
헥! 헥!

수많은 잘못을 범하고 시행착오를 하고

동일한 실수를 자꾸 반복하며, 생사의 길을 걸어야만 하지.

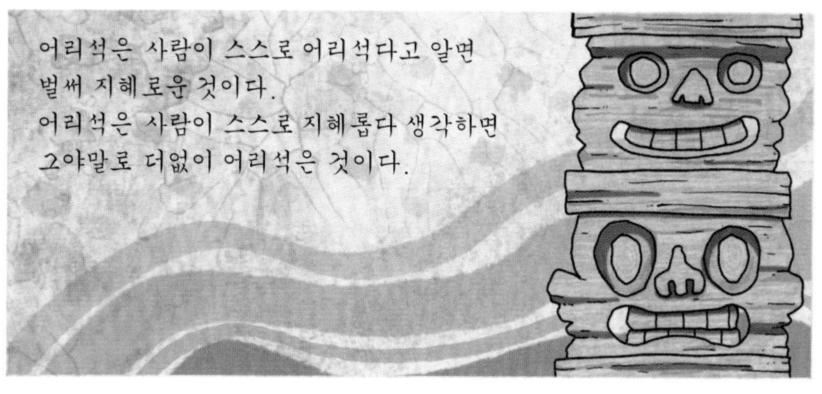
어리석은 사람이 스스로 어리석다고 알면
벌써 지혜로운 것이다.
어리석은 사람이 스스로 지혜롭다 생각하면
그야말로 더없이 어리석은 것이다.

어리석음의 본질은 무지라고 할 수 있어.

우리가 어떠한 것에 대하여 알지 못한다는 무지(無知)는

단순히 무지가 아니라, 알지 못하는 것조차 알지 못하는 무지를 말해.
넌 니가 뭘 모르는지도 몰라.

그러므로 무지는 실제로는
세계평화를 위해 미사일을 만들겠습니다!
뭐?

무지에 대한 무지라고 할 수 있겠지.
이렇게 해야 세계가 평화로운 거야!
꾹

무지에 무지한 인간!

그래서 인식론적인 무지는 바로 실존적인 무지이기도 해.

세계평화가 왔다!

즉, 무지는 '무지에 대한 무지'일 뿐만 아니라,

'무지에 대한 무지'에 대한
무지이기도 하지.

그것은 캄캄하고 칠흑같이 어두운
상태라고 할 수 있어.
응?

여기서 자신의 무지를 깨닫는 것은
햇빛 가리지 마!

나의 것

한 줄기의 빛을 발견하는
기적과 같아.
어이! 안 보이잖아!

'내 자식이다, 내 재산이다'고 하며
어리석은 사람은 괴로워한다.
자기도 자기의 것이 아니거늘
하물며 어찌 자식과 재물이랴.

어리석은 자는 평생 '내 것'이라는 것에
매어서 괴로워하지.
이 돈은 다
내 거야~!

그러나 자기 자신도
'내 것'이 아니야.
뭐?

우리가 아플 때에 '아프지 말라'고
명령한다고 해서,
아~ 배 아파!
아프지
마라!
얍!

슬플 때 '슬프지 말라'고
명령한다고 해서
너무 슬퍼~
슬프지
마라!
얍!

아픈 것이나 슬픈 것이 멈추는
것이 아니잖아?

따라서 이 몸과 마음은 모두 '내 것'이
아님이 분명해.
그럼 난
네 것인가?

그래서 '내 것' 이라는 것이 없으면,
내가 내 것이 아니면

'나' 라는 것도 없잖아요.
그렇지.

다만 나의 몸이 아프다면,

'몸아, 아프지 말라' 라고 명령할 것이 아니라,
아프지 마!
명령이다!
빙~
빙~

신체에 대하여 새김을 확립하여 올바로 알아차리며

신체적 형성에 정신활동을 기울여
왜 아프기 시작했을까?

몸이 아프게 된 조건들을 찾아
아구 아구
그만 먹어.

그 조건들을 제거하면,
아항!

몸이 아픈 결과도 사라진단다.
끙~
풍덩!
나았다!

마찬가지로 내가 슬프다면,

내가 슬퍼하게 된 정신 · 신체적인 조건들을 찾아
성적이 또 떨어졌어!

그것을 제거해야만
공부
공부

나의 슬픔이 사라지는 것이야.
아싸! 올랐다!
난 또 떨어졌다.

이처럼 '나는 슬프다.'라고 하는 것은
ㅠ
툭!

여러 가지 정신 · 신체적인 조건에 의해서 형성된 것이고,
ㅠ ㅠ

이때의 '나'는 '슬픔'과 일치되는 거야.
크로스!

우아앙! 완전체가 됐어!

그러데 슬픔이 생겨나게 된 조건이 사라지면,
ㅠ ㅠ

'나'는 '슬프지 않음'과 일치하게 되겠지?
^ ^
스윽

여기서 영원한 '나'라는 것은 없다는 것이 확실해진단다.
^ ^
ㅠ ㅠ

실제로 존재하는 것은
^ ^
ㅠ ㅠ

정신 · 신체적인 조건들에 의해서 일어나는 사건일 뿐이야.
^ ^
ㅠ ㅠ
— —
@ @
* *

지혜롭지 못한 어리석은 자는
자기를 적으로 삼아
악한 행위를 짓고
쓰디쓴 과보를 가져온다.

악하고 불건전한 조건들을 만들면,
배고파.
돈 없어.
훔치자!

악하고 불건전한 결과로서의 자기를 경험하게 돼.

이때에 경험되는 자기는
응?

혐오스러운 자기이기 때문에
어!

적과 같은 자기라고 할 수 있을 거야.

착하고 건전한 조건들을 만들면,
배고파!
돈 없어!
일하자!

착하고 건전한 결과로서의 자기를 경험하게 돼.

이때에 경험되는 자기는
응?

어?

친구와 같은 자기야.

악한 행위는 당연히 악한 과보*,

*과보(果報) – 과거에 지은 선이나 악업(善惡業)의 원인 때문에 현재 받은 결과나 현재에 짓는 원인 때문에 미래에 받을 결과를 말한다.

악의 본성

어리석은 자는 탐욕이나
분노 때문에
이 모든 게 세상탓이야!
돈이 필요해.

악하고, 불건전한 신체적 행위나
아이를 납치하자!
그래!

언어적, 정신적 행위를 저질러.
꺄악!

악하고 불건전한 행위는
현금 1억을
준비해라!

그것을 저지를 때에는
꿀처럼 달콤하지.
우하하하
경찰이다!

그리고 그 악의 과보는
즉시 돌아올 때도 있지만,
헉! 헉! 헉!

오랜 세월 뒤에 나타나기도 해.
멍청하긴!

그동안 어리석은 자는

점점 더 악의 유혹에 빠지게 되어
앞으로
무슨
나쁜 짓을
할까?

점점 더 큰 죄악을 저지르는 거야.

그러나 그 과보가
쌓여 익으면,

몸부림칠 정도의 고통이
닥치게 되어 있어.

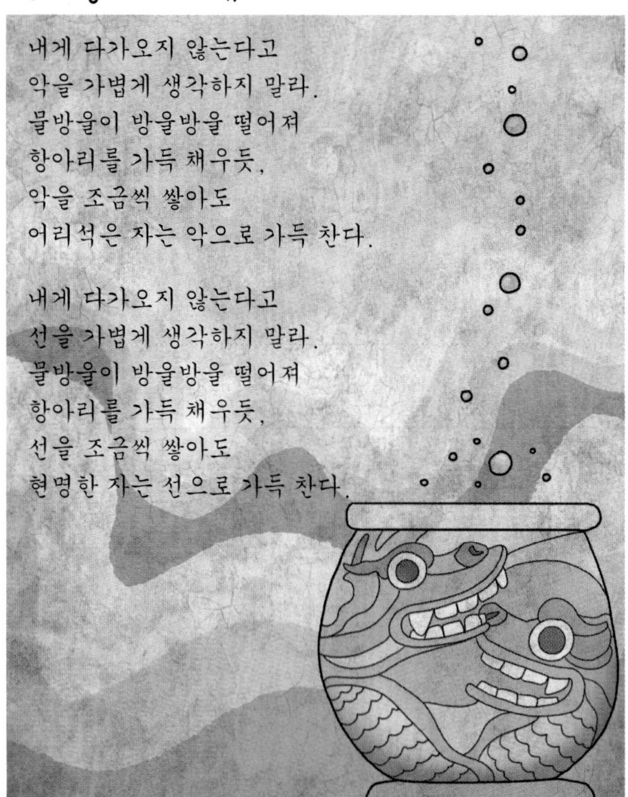
내게 다가오지 않는다고
악을 가볍게 생각하지 말라.
물방울이 방울방울 떨어져
항아리를 가득 채우듯,
악을 조금씩 쌓아도
어리석은 자는 악으로 가득 찬다.
내게 다가오지 않는다고
선을 가볍게 생각하지 말라.
물방울이 방울방울 떨어져
항아리를 가득 채우듯,
선을 조금씩 쌓아도
현명한 자는 선으로 가득 찬다.

어리석은 자는 당장 자신에게 해가 돌아오지 않는다고 생각하거나
잔디를 보호합시다

사소한 것이라 생각해 악하고 불건전한 행위를 저질러.
깨갱

또 작은 것이라고
휙!
툭!

악하고 불건전한 것을 가볍게 여기지.
휙!

그러면 악하고 불건전한 것들이,
으악! 바퀴벌레!
후두둑
후두둑

마치 물 방울이 방울방울 떨어져

항아리에 차듯,

그에게 가득 차.

그는 작은 것이라도 착하고 건전한 것을 가볍게 여기지 않아.

착하고 건전한 정신적 행위에
힘써야 하는 거야.

치수자는 물길을 잘 끌고
궁수는 화살을 잘 다루고
목공은 나무를 잘 다룬다.
현명한 사람은 자기를 잘 다룬다.

치수자(물을 다스리는 사람)는

물길을 잘 다뤄 홍수나 가뭄에 대비해.
그쪽을
막아.

궁수는 화살을 잘 다뤄

정확히 과녁을 맞추지.
핑!

목공은 나무를 잘 다뤄

갖가지 가구나 건축물을
만들어낸단다.

이처럼 현명한 사람은 자기
자신을 잘 다뤄
좋아! 나도
열심히 해서!

올바른 삶을 영위해.
고고씽!

그런데 여기서 가장
중요한 것은
?
꾹!
ST
STOP

자기 자신을 잘 다루는 일이야.
자신을
다룬다.

자기 자신을 잘 다룬다는 것은
난 축구선수가 꿈이니까
축구만 잘하면 되는 거
아닌가요?

마음에서 일어나는 탐욕과 분노를
잘 제어하는 것을 말해.

물길을 잘 다루고
이쪽으로
가!
네!

화살을 잘 다루고
금메달!
?

나무를 잘 다룬다고 해서
뭘 만든
거지?

탐욕과 분노를 잘 제어할 수
있는 것은 아니야.

아주 대단한 복싱 선수나

대단한 재능을 지닌 연예인,
직업적인 전문가들도

탐욕과 분노의 노예가 되어

일생을 망치는 경우를 너무나
흔히 볼 수 있잖아?

홀로 있음

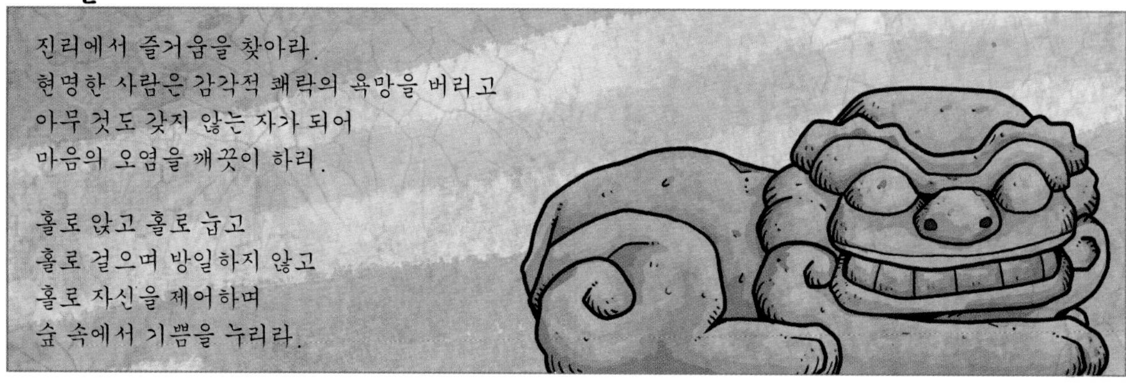
진리에서 즐거움을 찾아라.
현명한 사람은 감각적 쾌락의 욕망을 버리고
아무 것도 갖지 않는 자가 되어
마음의 오염을 깨끗이 하리.
홀로 앉고 홀로 눕고
홀로 걸으며 방일하지 않고
홀로 자신을 제어하며
숲 속에서 기쁨을 누리라.

감각적 쾌락의 욕망은
어딘가에 좋은 게 있어.

구체적인 '무언가'가 있을 거라는 믿음 때문에 생겨나.
너한테서 떨어진 좋은 것.

그래서 감각적인 쾌락의 욕망을 추구하는 사람은
그럼 찾아야지.
그래.

스스로를 내던져

어디 있을까? 나의 나머지.

'무언가'를 찾아 나서는 거야.
내가 뭔가 빈 듯한 느낌이 그래서 든 거였어.

헉!
헉!

그는 언제나 외로움을 느끼고
도대체 어디 있는 거야?

욕망을 추구하며
너희라도 있어줘.

홀로 있을 수 없어.

그러나 감각적 쾌락의 욕망을 극복한 사람은
어딘가에 좋은 게 있어.

마음을 고요히 하여 개체를 분석적으로 파악하며
너한테서 떨어진 좋은 것,

개체의 벽에 갇히지 않고
있긴 뭐가 있어!
딱!

진리에서 즐거움을 찾아.
전부 내 안에 있지.

그는 홀로 지내더라도

자신을 일체로서 분석적으로 파악해

시각의 바다, 청각의 바다, 후각의 바다, 미각의 바다, 촉각의 바다, 정신의 바다를 관찰하며

방황하거나 이탈하지 않기 때문에

욕망의 유혹과 분노의 재난에 빠지지 않고,
아뵤!

진리 탐구에서 기쁨을 느끼지.
眞理

진리의 물을 마시는 사람은
맑고 깨끗한 마음으로 편안히 눕는다.
거룩한 성자가 가르침으로 전한 진리를,
현명한 사람은 언제나 즐긴다.
깊은 못은 맑고 고요해
물결에 흐려지지 않듯,
현명한 사람은 진리를 듣고
그 마음이 청정하고 고요해진다.

거룩한 성자의 말씀을 듣고
솔솔
솔

탐욕과 분노와 어리석음을 제거하는 현명한 사람은,
푸더덕!

거룩한 성자가 가르침으로 전한 진리의 말씀을 듣기만 해도,
넌 악한 것들 이구나.
난 갈래.

마음이 맑고 깊은 연못처럼 청정하고 고요해지는 거야.

그래서 현명한 사람은
뭐 들어?

항상 거룩한 성자의 말씀을 듣는 것을 즐긴단다.
이거.
히든 트랙
1. 진리
2. 선
3. 깨달음

말씀을 듣는 것은
나도.

견해를 바로 세우는 일이야.
사물을 똑바로 보고 싶어.
見解

올바른 견해를 갖게 되면,
보너스로 사유를 줄게.
見解

올바른 사유가 생겨나고,
ㄷㄷㄷㄷㄷ
思
見解

그 둘에 의해서
우리가
見解

지혜가 갖추어지기 때문에
쏙!
지혜가 될 거야.
쏙!

마음이 청정하고 고요해지는 것이지.

좋아!
?
후다다닥!

다음날 학교

이제부터 널 바보라 부르겠어!

뭐? 왜?
훗!

무지는 무지를 무지가 무지에….

으악! 헷갈린다!
바보 납셨네.

제6장 선악의 장

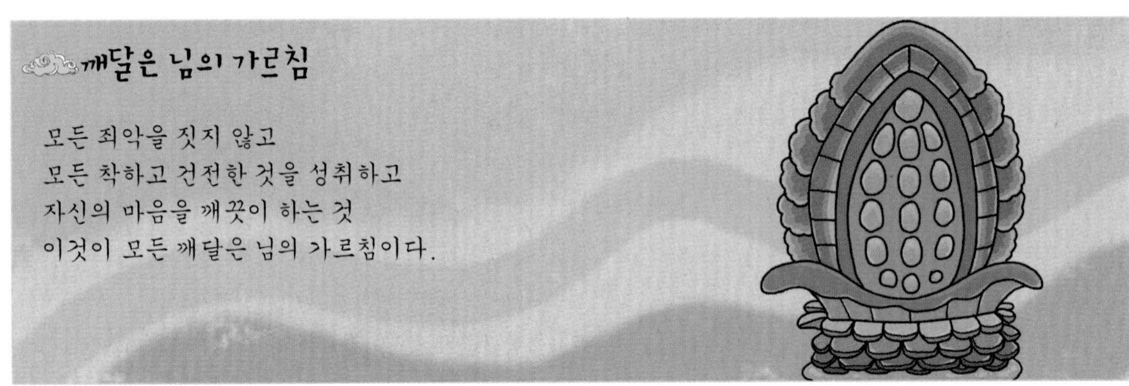

깨달은 님의 가르침

모든 죄악을 짓지 않고
모든 착하고 건전한 것을 성취하고
자신의 마음을 깨끗이 하는 것
이것이 모든 깨달은 님의 가르침이다.

난 백거이 시인!
난 도림 선사!

불교가 뭔지
모르겠어!

그래! 도림 선사에게
가보자!

도림 선사님!
도림 선사님!

부처님은 뭘 가르치고
싶었나요?

후후후~ 궁금하지?
가르쳐 줄까? 말까?

빨리 말해줘!

이 시를 읽어 보렴.

'모든 죄악을 짓지 말고
모든 선을 받들어 행하라' 고?

이걸 누가 몰라!
세 살 먹은 애도
알겠다.

세 살 먹은 어린아이도 알 수 있지만
여든 살 먹은 노인도
행하기는 어렵지.
너도 못 할걸?

선악의 본성

악의 열매가 익기 전에
악한 사람에게도 즐거움이 있다.
악의 열매가 익으면
악한 사람은 죄악을 받는다.

선의 열매가 익기 전에는
선한 사람에게도 괴로움이 있다.
선의 열매가 익을 때,
선한 사람은 복덕을 받는다.

그런데 악하고 불건전한 열매가
열리기 전까지는
돈 내놔!

악하고 불건전한
어… 없어요.

신체적, 언어적 정신적 형성을
추구하는 자들에게도
뒤져서 나오면 10원에
한 대다?! 응?
여기
있어요.

즐거움이 있을 수 있지만,
역시 뺏은 돈으로
먹어야 맛있어!
쩝 쩝

악하고 불건전한 열매가 열리게
되면,
!

그들은 고통을 경험하게 되지.
꺄악!
으악!

반대로 착하고 건전한 열매가 열리기
전까지는

착하고 건전한
도와드릴게요.

신체적, 언어적, 정신적 형성을 추구하는
자들에게도
괜찮겠어?
네.

괴로움이 있을 수 있지만,
저기까지
가야 하는데.
괘… 괜찮아요.

착하고 건전한 열매가
열리게 되면,
헉! 헉!

그들은 안락을 경험하게 되지.

이러한 사실을 깨닫는다면,
쑥
쑥

언제나 착하고 건전한 신체적, 언어적, 정신적 형성을 도모해야 하겠지?

맞바람과 매의 비유

청정하고 허물이 없는
악하지 않은 사람을 괴롭히면,
맞바람에 던져진 티끌처럼
악의 과보가 그 어리석은 사람에게 돌아간다.

남에게 거친 말을 하지 말라
받은 자가 그대에게 돌려보내리라.
분노 섞인 말은 괴로움을 주나니
돌아온 매가 그를 때린다.

악하고 불건전한 것 가운데에서도
가장 무서운 일은

청정하고 허물없고 악이 없는 사람을 비방하거나 괴롭히는 것이라 할 수 있어.
돈을 빌렸으면 갚아야지!
갑자기 3배로 갚으라면 어떻게….

하지만 누구든지 청정하고 허물없고 죄악이 없는 사람을 괴롭히면,
이 아줌마가!
덜덜덜

말로 해서는 안 되겠구만!

맞바람에 던져진 티끌처럼,
쭈욱!

그 무서운 악의 과보가
슈우웅!!

곧바로 자신에게 되돌아온다는 거야.
퍽!

퍽!
퍽!
퍽!
....

그리고 설사 남이 잘못을 저질렀기 때문에 비판한다고 해도,
우악! 내 간식!
꺽!

자애의 마음으로 충고해야 하는 거야.
배… 배고파서 먹었구나?
응!
꺽!

남에게 분노하여 거친 말로 괴롭히면,
과자 하나 가지고!

받은 자가 그 말을 돌려주기 마련이고,

그 말은 돌아온 매가 되어

다시 자신을 때리게 마련이야.

그러나 남의 잘못을 보고
훔쳐먹어야 제 맛이지.
!

분노하지 않는 것도 쉽지 않아.
불룩
들어가라.
들어가라.
불룩

그래서 평소에 자애의 마음으로 모든 곳을 빠짐없이
가득 채워서,

광대하고 멀리 미치고
걸렸다!

한량없고 원한 없고 악의 없는
자애의 마음으로
과자 더 줄까?
응?

일체의 세계를 가득 채우는

명상수행을 해야 한단다.

불의 비유

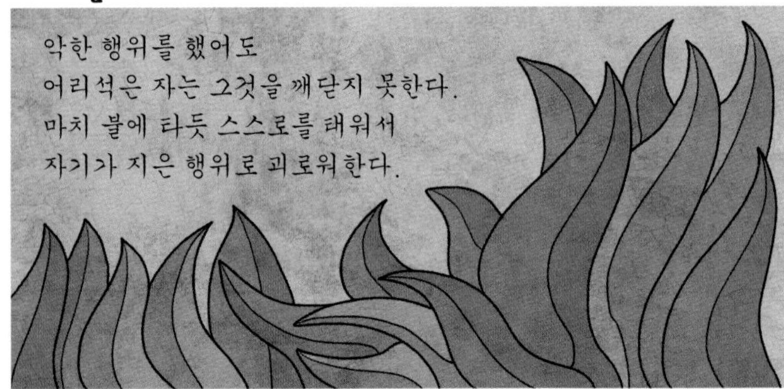
악한 행위를 했어도
어리석은 자는 그것을 깨닫지 못한다.
마치 불에 타듯 스스로를 태워서
자기가 지은 행위로 괴로워한다.

신체적으로나 언어적으로나
정신적으로
소년소녀가장?
악플이나 달자!
탁!
탁!

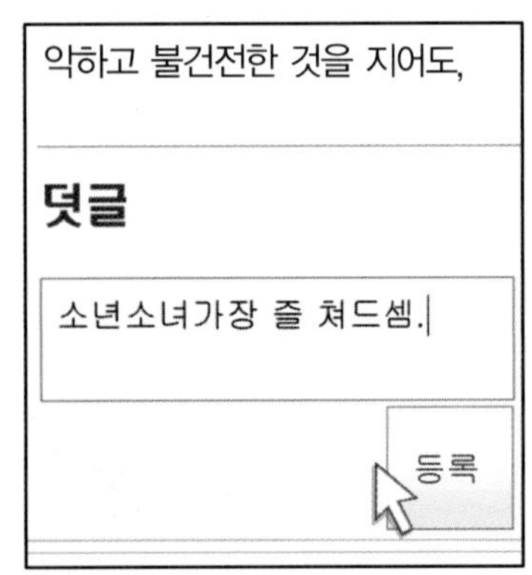
악하고 불건전한 것을 지어도,
덧글
소년소녀가장 좀 쳐드셈.
등록

어리석은 자는 그것에 대해 새김을
확립하지 못하고
아!
뿌듯해!

알아차리지 못하기 때문에,
악플에 댓글이
10개나 달렸어!

그 사실을 깨달을 수 없어.
탁! 탁! 탁!
나는 슈퍼악플러다!

잘못을 하고 그것을 깨닫지 못 하더라도,
악플 40개 하루 일과 끝!

그 잘못의 열매는 고통으로 다가오게 마련이거든.
스윽!

그래서 잘못의 열매가 익으면,
푹!
아얏!

그는 왜 괴로운지 이유도 알지 못 한 채,
가슴이 아퍼.

불이 스스로를 태우듯 괴로워하게 되는 거야.
으아악!

그러나 그가 마음을 다스려 새김을 확립하여
다른 사람도 이렇게 아플까?

그 괴로움의 원인들을 찾아 제거하면,
남에게 상처를 주면 안 되겠다.

고통에서 벗어날 수 있어.
다 지우자.
Del

하늘과 바다의 비유

하늘에도 바다에도
산중 동굴에도
사람이 악한 행동의 재앙을
벗어날 수 있는 곳은 아무 데도 없다.

우리가 악하고 불건전한 것을 지었으면,
내놔!

그 재앙을 피할 곳은 아무 데도 없지.
헉!
헉!
도망가자!

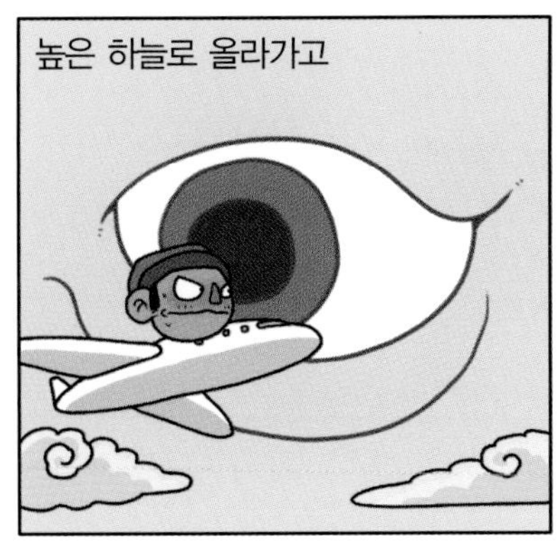
높은 하늘로 올라가고

깊은 바다에 숨고

산중의 동굴에 피신하더라도,

그 과보를 피할 수는 없어.

자신이 뿌린 씨앗은 어디를 가든
걸음아 나 살려라!

반드시 그 열매를 거두기 때문이거든.
텁!

하지만 너무 절망할 필요는 없어.
여기가 또 어디야!

그 닥친 재앙이 더 이상 지속되지 않도록
헉! 헉!

없애거나 줄일 수 있는 방법이 있기 때문이야.
넌 뭐야?
네 마음.

그 재앙의 원인인
이제부터 좋은 일만 하고
자-잉

악하고 불건전한 것들을 찾아 제거하거나,
착하게 살겠어!

착하고 건전한 것으로 갚으면 되거든.

고통을 유발하는 악하고
불건전한 것을 찾아 제거하면,
아! 빛이다!

야호!

거기에 따른 고통도 제거된단다.
야호!

예를 들어 어떤 사람한테
잘못을 했다면,
뺏은 가방은
돌려 줘야지.

거기에 대해 사과하거나
보상하면,
죄송합니다.

그 잘못에 대한 고통은 사라지지.
괜찮아요.
감사합니다.

그럼에도 불구하고 상대가
용서하지 않는다든가,
흥! 경찰에
신고할 거야!

혹 그 사람을 만날 수 없다면,
어디 간 거지?

자신의 잘못에 대한 고통은
받아야 하지.

그렇지만 다시는 그러한 잘못을
저지르지 않겠다고
내가 잘못한
벌이니까.

참회하는 것으로
내가 받아야지.

고통은 반감될 수 있어.
지금 못
믿는 거냐?
힐끔
힐끔

항상 깨어 있고 올바로 알아차리면,

악하고 불건전한
!

신체적, 언어적, 정신적 움직임을
찾았다!

즉각적으로 포착할 수 있어.
날 따라 다니지 마.

따라서 설사 악하고 불건전한
공책을 훔쳤으니
내일 시험 0점이겠지!
내 공책!

신체적, 언어적, 정신적 행위를
추구했어도,
......
우아앙! 큰일났다!

그것을 뉘우치고, 방일하지 않으면,
스윽
내 공책!

악하고 불건전한 행위가
가져오는
공책 여기 있어.

고통을 곧바로 알게 되고,
미안.
스르륵

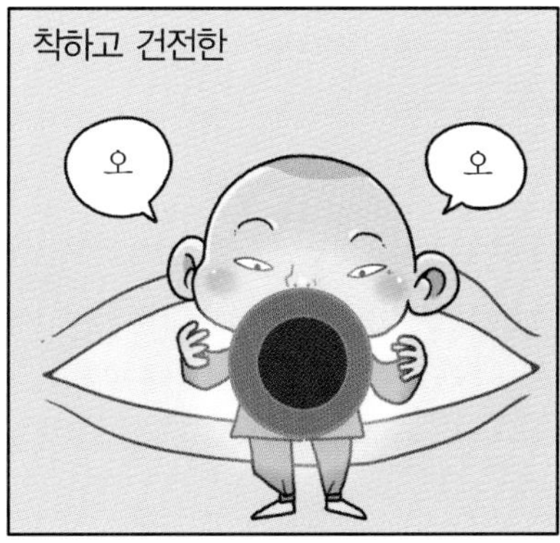
착하고 건전한
오
오

신체적, 언어적, 정신적 행위로
바꾸게 된다.

그렇게 되면, 그는 마치 구름을
벗어난 달처럼

이 세상을 비출 수가 있지.

악하고 불건전한 행위로 잘못을
저질렀어도,

참회하고 착하고 건전한 행위로
그것을 갚으면,
속죄합니다.

구름을 벗어난 달처럼 세상을
비출 수 있어.

악하고 불건전한 행위의 씨앗이
따로 있고
!
넌 나쁜 놈이
될 거야!

착하고 건전한 행위의 씨앗이
따로 있다면,
!
넌 착한 놈이
될 거야!

그것은 불가능하겠지.
당연
하지요!

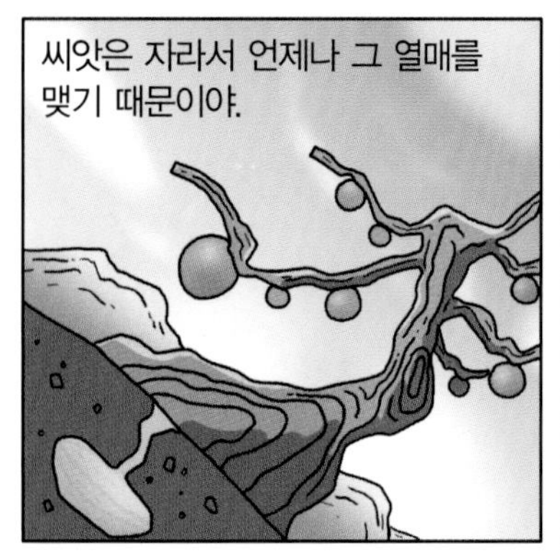
씨앗은 자라서 언제나 그 열매를
맺기 때문이야.

그러나 씨앗은 단지 비유일
뿐이야.

여기에는 다른 비유가
통할 수 있거든.

그것은 다음과 같은 원리에
따른 거야.

작은 그릇의 물에는 소금을 조금만
넣어도 짜.

그러나 큰 대야의 물은 웬만큼
소금을 넣어도 짜지 않아.

그릇은 사람에, 물은 선행에, 물의 양은 공덕에, 소금은 악행에, 짠 맛은 악행의 과보에 비유해 보자.
난 어떨까?
우엑 짜잖아!
따콩!

착하고 건전한 행위의 공덕이 작은 사람은
늑대가 나타났다!

작은 그릇과 같아
안 속아!

조그마한 잘못으로도 그 결과가 악하게 나타나겠지?
힝~ 진짠데….

그러나 착하고 건전한 행위의 공덕이 많은 사람은
거스름 돈을 더 받았는데요.

큰 그릇과 같아
그냥 들고 와버렸어요.

웬만한 잘못을 저질러도
괜찮아. 그럴 수도 있지 뭐.

그 결과가 악하게 나타나지 않는 거야.

제7장
욕망의 장

으악! 이 폐인!
응?

몇 시간째야?
며칠째더라….

며칠?
넌 욕망에 빠져 있어!
응?

욕망이 뭔데?
욕망은! 음, 그게….

욕망이 뭐냐고?
놀래라!

일단 컴퓨터부터 끄고.
꾹!

욕망의 본성

욕망에서 근심이 생겨나고
욕망에서 두려움이 생겨난다.
욕망을 여읜 사람에겐 근심이 없나니
두려움 또한 어찌 있으랴.

쉽게 말하자면
불쾌를 버리고
불쾌

쾌락을 추구하는 것을 말해.

왜 불쾌를 버리고 쾌락을
추구하느냐고?
재미있으니까.

누구나 즐겁게 영원히 변함없이
살고 싶어 하지 않니?
짐은 영원히
살고 싶다.
진시황

불로초를 구하라!
그딴 게
어디 있다고!

아마도 동물의 경우도

말을 못 해서 그렇지
난 소로 태어난 건가?

그런 욕망이 분명히 있을 거야.
고기로 태어난 건가?

내 수명이 있기는
한 걸까?

좀 어려운 말이지만

욕망 속에는 쾌락성, 영원성, 실체성라는

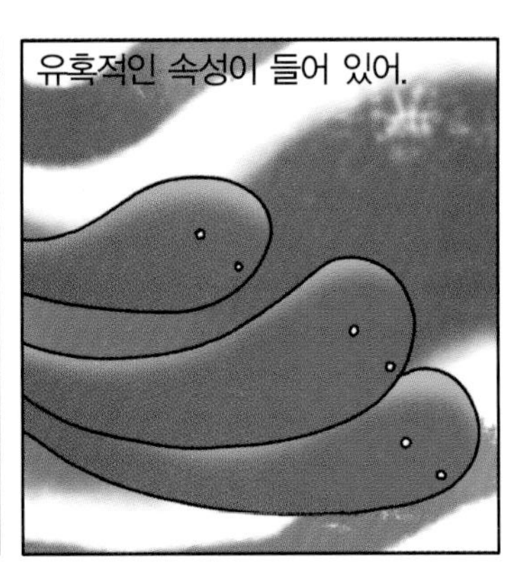
유혹적인 속성이 들어 있어.

그래서 우리의 욕망은

쾌락과 영원과 실체를 추구한단다.
잡아!
네!

우리는 불쾌를 회피하려 하고
불쾌

쾌락을 끝없이 추구하는 삶을 살고 있어.

그러면서 그것이 영원한 것이고
평생을 놀고 먹자!
헉!
헉!

불변하는 실체라고 생각하고 있는 거야.
너만 있으면 돼.

그러나 '모든 것은 변한다.' 라는 무상의 원리에 의해서
꿈틀!
꿈틀!
어라?

영원한 것 같았던 실체적이었던 쾌락은
츄아악!

불쾌로 바뀐단다.
어떻게 된 거야?

이렇듯 욕망은 끝이 없이
맴도는 거야.

그래서 욕망의 대상들은 우리의 적이며,
슉!
슉!
한번 붙사!

그 적들은 밤하늘의 별처럼 수없이 많아.
그래 붙자!

욕망에서 근심이 생겨나고 두려움이 생겨나고,

두려움을 벗어나고자

다시 욕망을 일으키게 되지.

이렇게 해서 우리는 셰익피어의 말대로

욕망을 두려움에 붓고

두려움을 욕망에 부으면서

쾌락을 추구하지만
야호!

언제나 얻었다고 생각하면 잃어버리고 말아.
힘들어!

사랑하는 자를 갖지 말라.
사랑하지 않는 자도 갖지 말라.
사랑하는 자를 만나지 못함도 괴로움이요
사랑하지 않는 자와 만나는 것도 괴로움이다.

사랑하는 자를 만들지 말라.
사랑하는 자와 헤어짐도 불행이고
사랑하는 자도 사랑하지 않는 자도 없으면
그 사람에게 속박이 없다.

미각으로 맛보는 여자의 맛,

촉각으로 감지하는 여자의 감촉이
있는데,

그것들에 환희하고 환호하고

욕심을 내어 집착하지.

거꾸로 여자가 원하는 즐겁고
마음에 들고

사랑스럽고 감각적 욕망을 자극하고

애착의 대상이 되는 대상은
남자야.

구체적으로 시각으로 보는
남자의 형상,

청각으로 듣는 남자의 소리,

후각으로 맡는 남자의 냄새,

미각으로 맛보는 남자의 맛,

촉각으로 감지하는 남자의 감촉이
있는데,

그것들에 환희하고 환호하고

욕심을 내어 집착해.

남자의 형상은 여자의 마음을
사로잡아.

그렇기 때문에 남녀 간의 애욕은

감각적 쾌락을 자극하는 욕망의
극치라고 할 수 있어.

그 욕망에 묶여

우리는 형상으로 이루어진 시각의
바다에서,

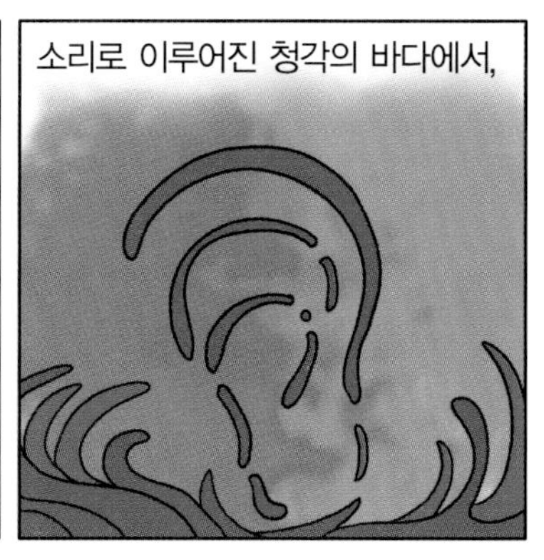
소리로 이루어진 청각의 바다에서,

냄새로 이루어진 후각의 바다에서,

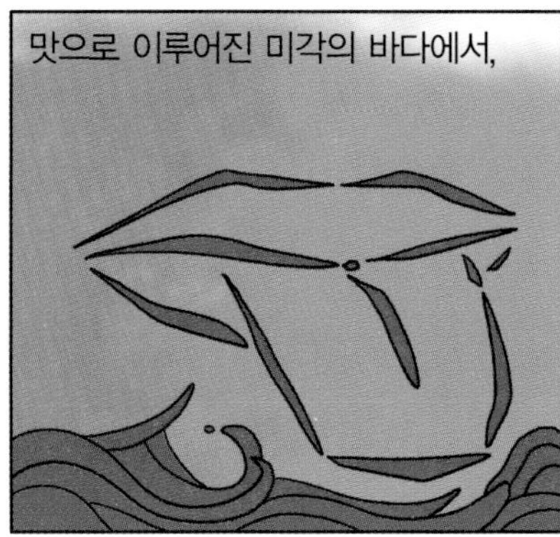
맛으로 이루어진 미각의 바다에서,

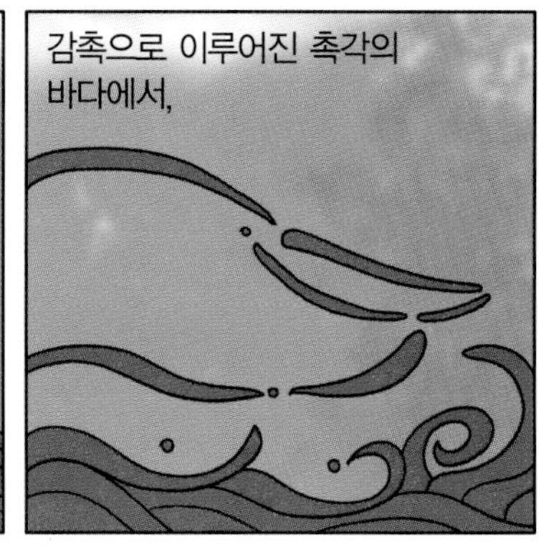
감촉으로 이루어진 촉각의
바다에서,

생각으로 이루어진 정신의 바다에서

방황하게 되는 거야.

사랑하는 자를 갖게 되면

우리는 그 윤회의 바다에서

애착의 밧줄에 묶여 방황하게 된단다.

반대로 사랑하지 않는 자를
갖게 되면,

우리는 그 윤회의 바다에서

미움의 밧줄에 묶여 방황하게
되기도 해.

이것은 모두 우리에게 고통으로
다가오는 거야.

더구나 사랑하는 사람을 만나지
못하거나

사랑하지 않는 사람을 만나게 되면,
그 고통은 배가 되지.

그러므로 사랑하지도 말고,

사랑하지 않지도 말아야
하는 거야.

사랑하지도 사랑하지 않지도 않는
방법이 있는가?

그 방법은 바로 모든 존재를

자애, 연민, 기쁨, 평정으로
대하는 것이야.

우리는 사랑에 묶이지 않는

자애와 연민, 기쁨과 평정의 삶을 살아야 한단다.

이것이야말로 진정한 사랑을 지속시키는 방법이거든.

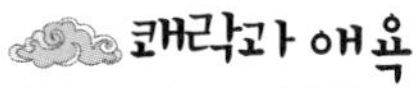
쾌락과 애욕

쾌락에서 근심이 생겨나고
쾌락에서 두려움이 생겨난다.
쾌락을 여읜 사람에게 근심이 없나니
두려움 또한 어찌 있으랴.
애욕에서 근심이 생겨나고
애욕에서 두려움이 생겨난다.
애욕을 여읜 사람에게 근심이 없나니
두려움 또한 어찌 있으랴.

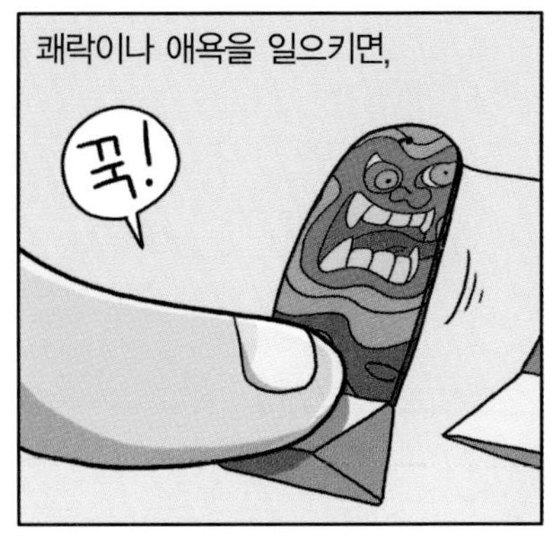
쾌락이나 애욕을 일으키면,
꾹!

근심과 두려움도 함께 생겨나.

그러나 이러한 현상을 마음에서 알아차리는 것은 쉽지 않지.

우리는 양자가 별개라고 생각하기 때문이야.

우리가 쾌락이나 욕망, 애욕을 느낄 때에는

근심과 두려움을 동시에 지각하기 어렵거든.
휙!

하지만 세밀하게 자신의 마음을 관찰하면

쾌락이나 애욕을 일으키면,

근심과 두려움도
걸렸다.

함께 생겨난다는 사실을 발견할 수 있어.
튀어!

하다못해 사탕을 먹으며
냠

달콤한 쾌락을 느끼더라도,
맛있다.

나중에 근심과 두려움이
단 건 당분간 먹지 마.

불쾌의 형태로 뒤따르게 되지.
의사선생님이 먹지 말랬는데.

그러나 그것을 알아차리는 것은 쉽지 않아.
죄 다 썩게 해주지!

이것을 알아차려
안 되겠다.

쾌락이나 애욕을 다스리고
퉤!

제어하고 극복한다면,
분… 분하다!

근심과 두려움도 함께 없어질 수 있지.

그렇다고 해서 불쾌하거나

혐오스러운 마음을 일으키라는 것은 아니야.

불쾌나 혐오의 감정을 일으키면,

분노와 고통도 함께 생겨나거든.

그러므로 우리는 쾌락이나 욕망이나 애욕을 극복하여,
으라차차!

자애와 연민과

기쁨과 평정의

삶을 살아야 해.

남녀의 애욕

남자가 여자에게 지닌 애욕은
그것이 아무리 작더라도 부수어지지 않으면,
송아지가 어미젖에 매달리듯
그의 마음은 윤회에 매달린다.
애욕의 노예가 된 자는 그 욕망의 흐름을 따라간다.
마치 거미가 스스로 만든 거미줄을 따라가듯
현명한 이는 이 갈망을 끊고 근심과 슬픔을 버리고 떠난다.
애욕에 가득 찬 사람은 덫에 걸린 토끼와 같이 몸부림친다.
결박되고 집착을 없애지 못해
오랫동안 고통을 받는다.

남녀 간의 애욕은 아무리 작더라도

서로를 얽어매지.

송아지가 어미젖에 매달리듯,

애욕에 빠진 자의 마음은
툭!

욕망의 거미줄에 걸려들고,

집착의 덫에 걸려,
콱!

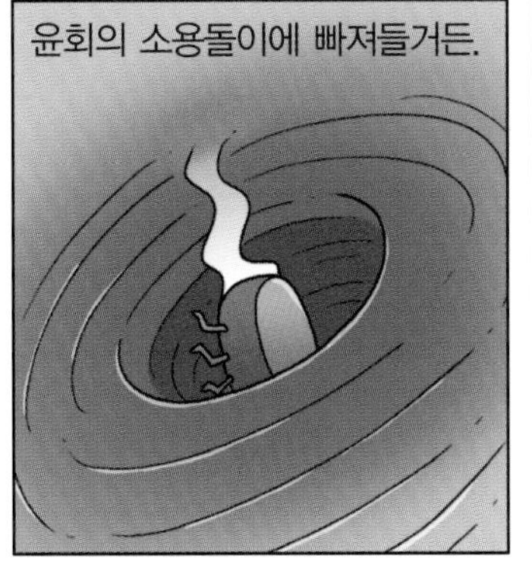
윤회의 소용돌이에 빠져들거든.

그래서 진정한 사랑을 얻는 방법은
?

역설적이기 하지만

사랑하는 사람을 발견하면

오히려 놓아주는 것이야.
꾹!

사랑하는 사람의 자유를 구속해서는 안 되기 때문이지.

제8장 분노의 장

정신의 그림

'그는 나를 욕하고, 나를 때렸다.
그는 나를 굴복시켰고, 나의 것을 빼앗았다.'
이처럼 적의를 품고 있으면,
그 원한은 사라지지 않으리.

'그는 나를 욕하고, 나를 때렸다.
그는 나를 굴복시켰고, 나의 것을 빼앗았다.'
이처럼 적의를 품지 않으면,
그 원한은 사라져 버리리.

생각은 정신이 만들어 낸 그림이라 할 수 있지.

그것을 계속 가지고 있으면
♫

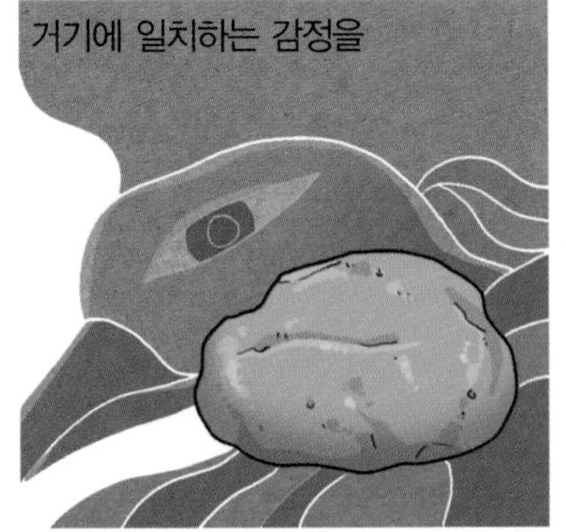
거기에 일치하는 감정을

흥분시키게 마련이야.

이 정신의 그림인 '그는 나를 욕하고, 나를 때렸다. 그는 나를 굴복시켰고,
나의 것을 빼앗았다.' 라는

생각을 버리고
휙!

거기에 주의를 기울이지
않으면,

비로소 감정이 극복되고 적의와
원한이 사라져.

부처님께서 동시대인들에게 언제나 충고했던 것은
내놔!
퍽!

보복하는 것이 아니라
스읍!
이 자식! 두고 보자!

감정을 일으키더라도
비켜요!

언제 어느 곳에서나 인내를 닦는 것이었어.
!

부처님께서는
아.
탕!

악한 다른 사람을 복수할 능력이 있더라도,

다른 사람이 잘못한 것을 감내하는 사람을 칭찬했어.
내가 참아야지.

인내는 나약함이나 패배주의의 징조가 아니라
난 진 게 아니야.

위대한 인간이 지닌 불굴의 강인함이기 때문이지.
더 강해진 거야!

인내의 비밀은 정신적인 그림을 버리고 다른 것으로 대치하거나

상황을 해석하는 방법을 바꾸는 데 있어.
생각해 보니 녀석의 어머님이 많이 아프시지.

부처님의 제자 가운데 뿐냐라는 수행자가 있었어.

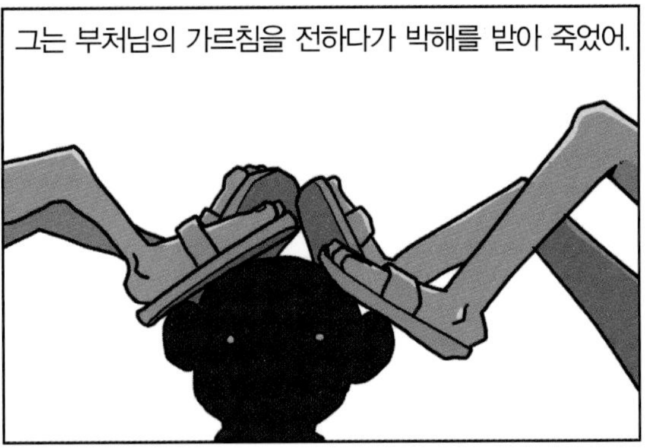
그는 부처님의 가르침을 전하다가 박해를 받아 죽었어.

뿐냐가 다른 나라로 가서 가르침을
전파하려고 할 때,
가르침을 전하자.

부처님은 그에게 물었지.

뿐냐여, 그 나라 백성들은
사납고 모질다.

만일 그들이 너를 꾸짖고 모욕하면,
어찌하겠는가?

부처님이시여.

그때 나는 그 나라 사람들이
어질고 착해서

나를 주먹으로 치고

돌을 던지지는 않는다고
생각하겠습니다.

…….

부처님은 그에게 또 물었어.
뿐냐여,

만약 그들이 주먹으로 치고 돌을 던지면 어떻게 하겠는가?

뿐냐는 거침없이 대답했어.
부처님이여,

저는 그때 그 나라 사람들이
어질고 착해서

나를 해치지는 않을 것이라고
생각하겠습니다.

…….

부처님은 마지막으로 다시 물었어.

뿐냐여,

만약 그들이 칼로 해친다면 어떻게 하겠는가?

뿐냐는 다시 대답했지.

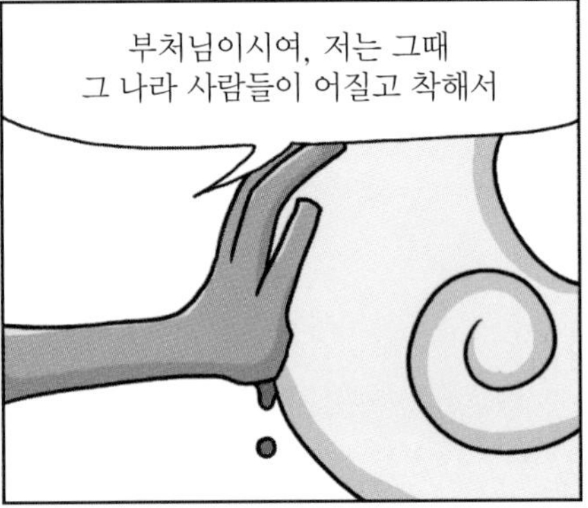
부처님이시여, 저는 그때
그 나라 사람들이 어질고 착해서

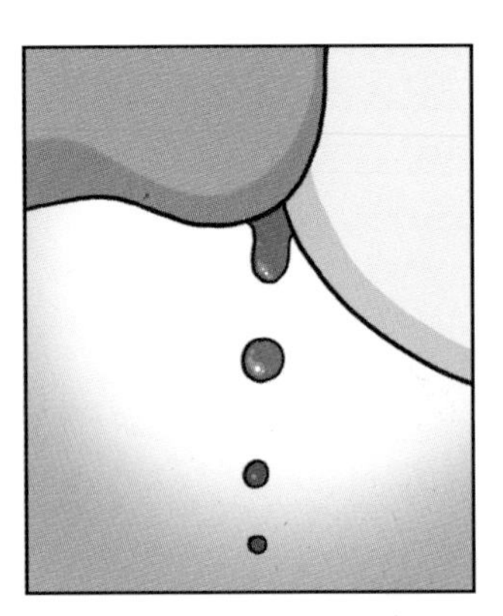

나를 육신의 속박에서 벗어나게 하는 큰 공덕을 짓는 것이라고 생각하겠습니다.

결국 뿐냐는 부처님으로부터

전법의 허락을 받고 가르치다

순교하였어.

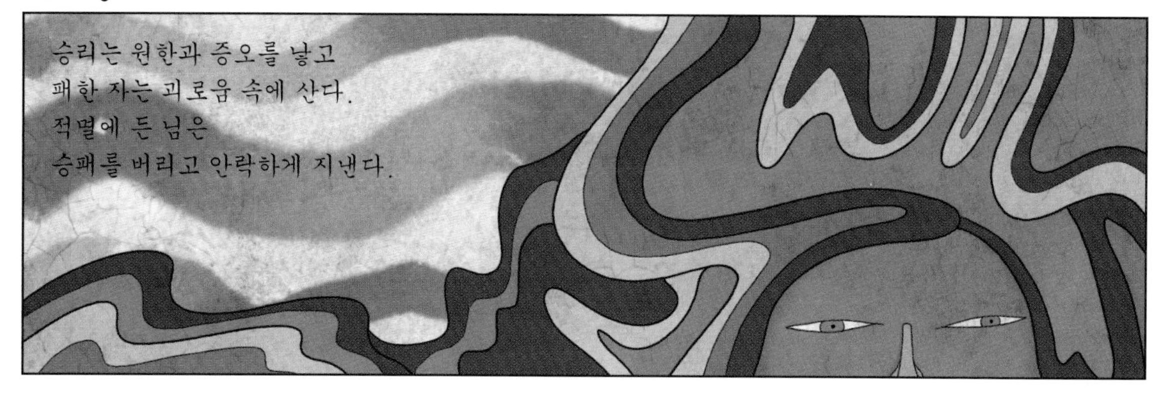
승리는 원한과 증오를 낳고
패한 자는 괴로움 속에 산다.
적멸에 든 님은
승패를 버리고 안락하게 지낸다.

자기 자신과의 싸움에서
승리하는 것이 아니라,

다른 사람과의 싸움에서 이겨서 승리하거나
퍽!

전쟁에서 승리하면,

패한 자의 원한과 증오를 사게 될 거야.

승리한 자는 패한 자의 원한과 증오에
묶이게 되고,

패한 자는 자신의 원한과 증오에 묶여

양자가 모두 고통스럽게 되겠지.

하지만 진리를 깨달아 평화로운
적멸에 든 님은

그러한 고통을 버리고 안락하게
지낼 수 있어.

마부의 비유

마구 달리는 수레를 제지하듯
이미 일어난 분노를 억제하는 사람은
나는 진짜 마부라고 일컫는다.
다른 사람은 고삐만 쥐고 있는 것이다.

분노란,

꼭지에는 꿀이 있고

뿌리에는 독이 있는 나무와 같아.
맛있다.
독

우리가 쉽게 분노하거나
똥?

남을 공격하는 것은
왕!
깽!

화내거나 성내거나 증오하거나
공격할 때에
니 강아지지?
그래!

먼저 그 꼭지에 달린 달콤한 꿀의 쾌락에
취하기 때문이야.
화를 내봐!
달콤할 거야.
꿀
왕!
내 강아지잖아!

그러나 일단 화내거나 성내거나
증오하거나 공격하고 나면,
야!

그 뿌리에 있는 독이

우리의 온몸에 퍼져나가지.

분노하는 사람은

달콤한 꿀에 머리를 처박고
꿀

고삐만 쥐고 마구 수레를 모는 마부와 같아.
꿀

언제 어떻게 파멸할지 알 수가
없기 때문이야.

이 무서운 사실을 알게 되면,

우리는 분노가 일어났을 때에
불끈!

키질의 비유

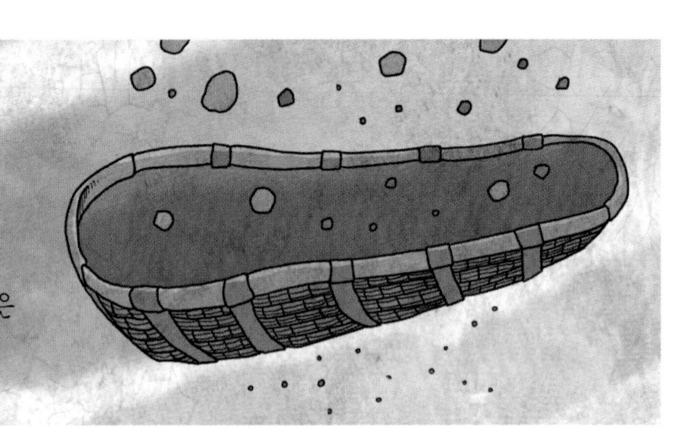

남의 허물은 보기 쉬워도
나의 허물은 보기 어렵다.
실로 남의 허물은 왕겨처럼 키질하지만
자기 허물은 감춘다.
마치 도박꾼이 불리한 패를 감추듯.

남의 허물을 들추어내어 항상 분개하는 사람은
그 사람에게 번뇌가 더욱 증대하리니
그는 번뇌를 끊지 못한다.

그래서 자신의 잘못을 알려면,
환경부에서 나왔습니다.

성찰을 통해 자신을 비추어보지 않으면 안 되지.
도로 주워야지.
부웅~

자신의 잘못을 알면,
난 이렇구나.

남의 잘못도 이해하게 돼.
그래서 저들도 그런 거야.

그렇게 함으로써 관용과 용서의 삶을 살 수 있어.

반면에 항상 남의 잘못만을 보고
뭔가 잘못했지?
뭘까?
응?

분개하는 사람에겐
이런 잘못을 하다니!
우앗!
우앗!

번뇌가 늘어날 뿐이야.
나쁜 놈!
흥!

설사 분노가 정당하다고 하더라도,
잘못한 게 확실해!

분노하는 것 자체가 잘못된 것이고

어리석은 것이기 때문이지.

분노는 상대방에 앞서 자신을
파괴시킬 뿐만 아니라,
너 왜 이렇게
살아!

○○아!
○○같은 게!
○○!

분노하는 상대방에게 모욕을 당하고
슬금
슬금
○○아!
○○○!
○○같은!
부들
부들

공격을 받고 굴복당한 사람의
분노는

상대방보다 더욱 심한 분노를 품게 돼.
어라?

미… 미안

그러한 사람에게는 분노를 진정시킬
방도가 없어.
미안!

상상적인 갈등이 더욱
심해질수록
덥썩!

복수하고자 하는 욕망도 커지지.
꾸역!
살려줘!
꾸역!

이렇게 해서 인간 사회에 살면서
스윽!

사람들은 자주 서로 싸우게 돼.

다툼이 일어날 때에 사람들은

다른 사람의 허물만을 생각하기 때문이야.

꼬라지 하고는!

분노의 극복

분노를 끊어서 분노를 이기고
선함으로 악함을 이기고
주는 것으로 인색함을 이기고
진실로 거짓을 이겨야 한다.

결코 원한으로는
원한을 그치게 할 수 없다.
오직 원한을 없애야만 원한이 그치나니
이것은 영원한 진리이다.

분노나 원한을 극복하는

다른 영구적인 전략이 있어.

그 영구적인 전략이란 분노나 원한을,

모두 다 끊어버리는 것,
뚝!

즉 자애로 갚는 것이야.

다른 사람이 저지른 허물이 있다면,
니가 내 간식 먹었지?
휙!

그것을 먼저 이해하고 깨우치게 하고,
그럼 말을 해줘야지. 괜히 다른 친구를 의심했잖아.
미안.

나아가서 용서하고
괜찮아.

그 허물을 잊어버리면,
놀러가자.
좋아.

원한은 순식간에 사라져.

이런 건 필요없겠네.

그것은 마치 선함으로
악함을 이기고,
선
악

베푸는 것으로
인색함을 이기고,
다 내 거야!

진실로서 거짓을 이기는 것과 같아.
또 거짓말
했구나!
쭈욱!

그것은 단순히 전략이 아니라
스읍~

영원한 진리라고 할 수 있어.

분노의 원인

분노를 버리고, 자만을 버리고,
모든 속박에서 벗어나라.
정신적 · 신체적 과정에 집착하지 않고,
아무 것도 소유하지 않는 자에겐
아무런 고통이 닥치지 않는다.

분노는
씩!
씩!

남의 허물을 보고 자신의 허물을 보지 못하는 데 원인이 있지만,
이런 나쁜 놈!
도둑질을 해!
불법자금

보다 근본적인 원인은
아저씨도 불법으로 모은 돈이잖아요!

'이것은 나의 것이고, 이것이 바로 나이고, 이것이 나의 자아이다.' 라는
난 그래도 돼!
난 원래 그래!
난 정의니까!

자만에 있단다.
네가 누군 줄 알고 까불어!
흥!

우리는 정신 · 신체적인 과정의 어떤 요소를
욕심
이기심
자만

우리 자신과 일치시키고 있기 때문에
이것들도 나야.

그것을 침해당하면,
이 친구는 욕심 아닌가요?

분노하게 돼.
아냐!
난 욕심

이건 전부 나야!

예를 들어 나의 소중한 몸,
툭!

나의 소중한 느낌,
그건 좀 아닌 거 같아.
빠직!

나의 소중한 생각을 침해당하면,
그 생각은 아닌 거 같아.
빠직!
빠직!

즉각적으로 분노하게 되는 것이지.
우아악

그러나 '이것은 나의 것이고,
감히 날 치고 가?

이것이 바로 나이고,
그게 어때서?!

이것이 나의 자아이다.' 라는
이게 바로 나야!

자만에서 벗어나,
꾸깃!
앗!

정신 · 신체적으로 아무 것에도 집착하지 않고 소유하지 않아
저리 가!

속박에서 벗어난 사람에게는
너도 가!
대롱대롱

분노가 일어나지 않아.
편하다.

그러므로 분노에서 오는 괴로움이란 없겠지?
우린
어디로 가지?

제9장 늙음과 죽음의 장

80세의 나이로
숨을
거두셨습니다.
아.

누가 돌아
가셨나 보다.
응.

죽는다는 게 뭘까?

응…
사라지는 거?
응?
무슨 소리야?

아기로 태어나서
나중에는 사라지잖아.
시간

그런가?

상처투성이의 몸

분장하고 꾸민 환영을 보라.
그 견고하지 않고 변하기 쉽고
온갖 상념으로 가득 찬
상처투성이의 몸을 보라.

여러 가지 뼈로 성곽을 이루고
살과 피로 칠해진 것,
그 속에 늙음과 죽음,
자만과 위선이 감추어져 있다.

신체는 두 개의 구멍을 가진

32가지의 더러운 것들.
32가지?

똥…
오줌….
또 뭐지?

머리카락, 몸털, 손톱, 이빨, 피부, 고기, 근육, 뼈, 골수, 신장, 심장, 간장, 늑막, 비장, 폐, 창자, 장간막, 위장, 배설물, 뇌수, 담즙, 가래, 고름, 피, 땀, 지방, 눈물, 임파액, 침, 점액, 관절액, 오줌으로 가득 차 있는 푸대 자루와 같아.

더구나 그 속에는

늙음과 죽음이 은폐되어 있기도 해.

그러나 우리는 몸을 분장하고 아름답게 꾸미고 살지.
명품이 최고야.
와~
와~
와~

그래서 다양한 요소로
구성되어 있는
흥!
와~
와~

은폐된 몸을 있는 그대로
보지 못하는 거야.

그 때문에 우리의 몸은 감각적으로
매력적이라는
부끄
부끄

온갖 욕망의 상념과,
당!
당!
비싼옷

그것에서 오는 자만과 위선의 상처로
가득 차 있어.
흠!
와~

병주머니의 비유

이 몸은 늙고 시들고
병주머니이고 깨지기 쉬운 그릇이다.
부패된 육신은 조각으로 흩어지고
삶은 죽음으로 끝난다.

우리의 신체는

네 가지의 비인격적인 원소인

땅, 물, 불, 바람의 요소로 이루어져 있어.

신체는 내부적인

땅, 물, 불, 바람으로 구성되고 있고

일반적인 땅, 물, 불, 바람은 외부적인 것이야.

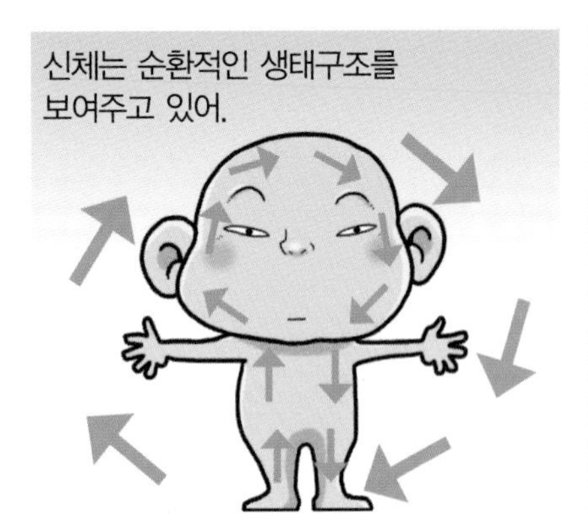
신체는 순환적인 생태구조를 보여주고 있어.

머리카락, 털, 손톱 등의 개체적이고 거칠고 견고한 것은 모두 내부적인 땅이며,

담즙, 가래, 고름, 피 등의 개체적이고 액체적인 것은

모두 내부적인 물이라고 할 수 있지.

이런 것들은 어디서 왔을까요?

이러한 내부적인 원소들은

무상한 외부적인 것에서 유래하였으며,

신체가 죽은 뒤에는

다시 흩어져

외부로 돌아간다고 할 수 있어.

건강과 질병은

단지 이러한 신체의 생태적 순화과정을
보여주는 것이고

신체의 죽음은

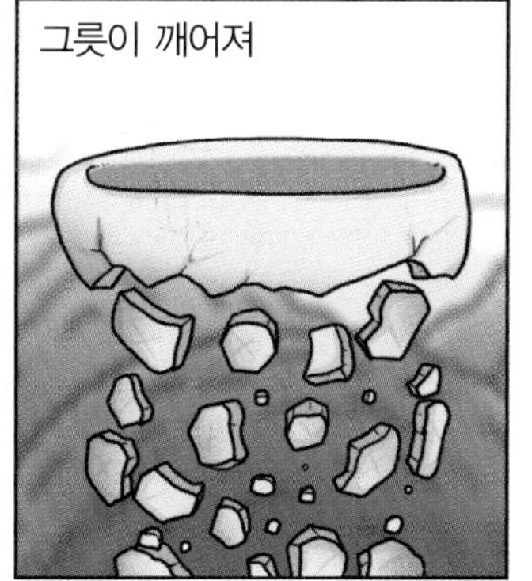
그릇이 깨어져

생태적 순환과정이 외부로 환원되는 것과
같아.

해골의 비유

가을이 되어 버려진
표주박처럼
흩어진 흰 색의 뼈를 보고
무슨 기쁨이 있겠는가?

우리의 신체는 죽은 후에

시체가 되고 말아.

묘지에 묻힌 뒤

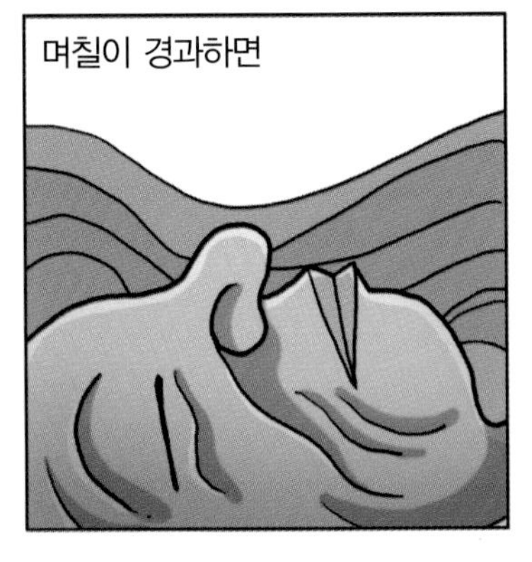
며칠이 경과하면

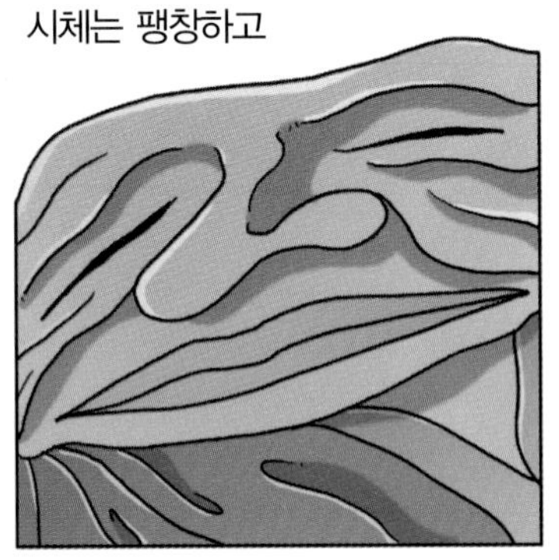
시체는 팽창하고

푸르게 멍든 어혈이 있고 고름이
가득한 것도 있고,

까마귀, 독수리, 개, 승냥이 등

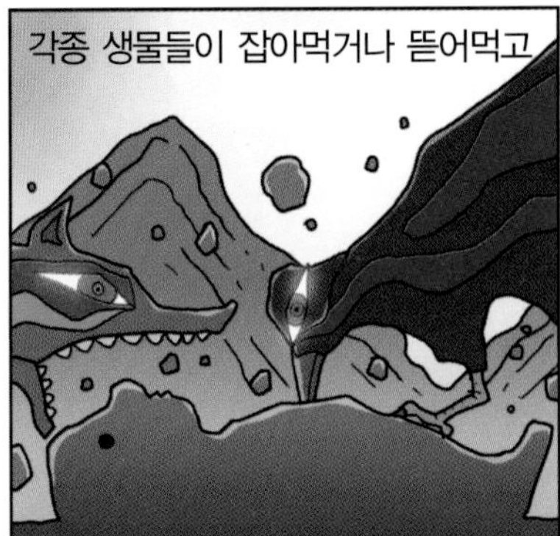
각종 생물들이 잡아먹거나 뜯어먹고

남은 상태가 되기도 하고,

그밖에 살과 피가 있는 근육이 붙은 해골이나,

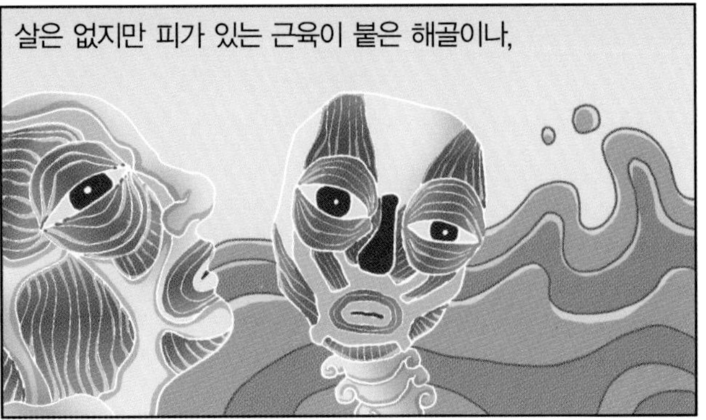
살은 없지만 피가 있는 근육이 붙은 해골이나,

살과 피가 없는 근육이 붙은 해골이 되고

마침내 관절이 풀어져서
윽!

참사람의 진리

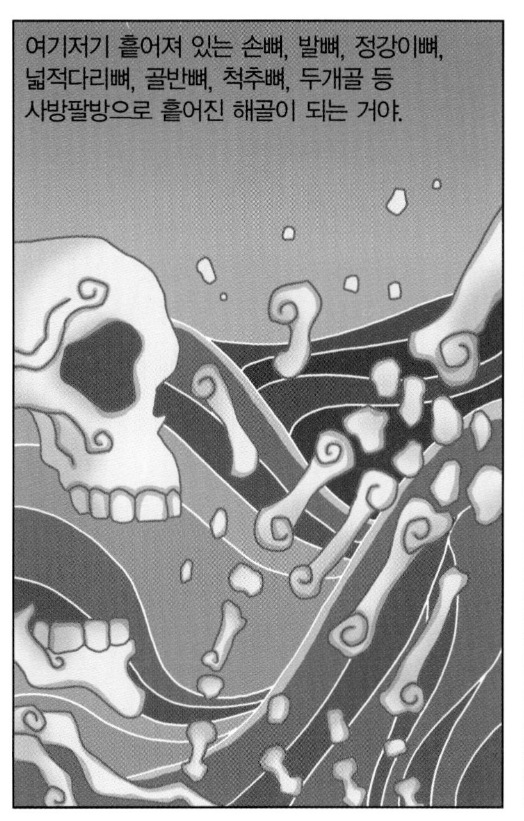
여기저기 흩어져 있는 손뼈, 발뼈, 정강이뼈,
넓적다리뼈, 골반뼈, 척추뼈, 두개골 등
사방팔방으로 흩어진 해골이 되는 거야.

잘 꾸며진 왕의 수레도 닳아 없어지듯
육신 또한 늙어 간다.
그러나 참사람의 진리는 늙지 않는다.
참사람이 참사람에게 전하기 때문이다.

진리는
늙지 않는다?
眞
理

우리는 살아 있지만

동시에 늙어가고 있고
죽음에 다가가고 있어.
老

늙음과 죽음이라는 것은 신체적인 현상이야.
먼저 갔구나.

그런데 참사람은

사실에 대하여 있는 그대로 관찰하는 사람이야.

사실에 대하여 있는 그대로 관찰하면,

우리는 늙음과 죽음이
老
死
명필이다!

단지 명칭에 불과하다는 사실을 알 수 있게 돼.
老
死

우리가 사실에 대하여
그저…
老

있는 그대로 관찰할 수 있다면,
명칭일 뿐.
死

신체에 대하여 있는 그대로 관찰하는 것을 통해서
음.

이 늙음과 죽음을 극복할 수 있지.
모르겠어요.

신체에 대한 관찰로 중요한 것은

몸의 실재적인 모습을 마음에 새기고
스윽!
몸이란?

거기에서 교훈을 얻는 것이야.
깨달았다.

우리는 자신의 몸을 때로는

땅이나 물이나 불이나 바람처럼
있는 그대로 관찰해야 해.

자신의 몸을 땅이라고
관찰하면,

땅에 깨끗한 것을 버리더라도,
더러운 것을 버리더라도,
휙!
휙!

오줌을 버리더라도,
끙!
조르륵

침과 고름을 버리더라도,
질질

피를 버리더라도,
주륵!

그 때문에 땅이 번민하거나
괜찮아?
응.

수치스러워하거나 기피하는 것이
없듯이,

우리에게 이미 생겨난
난 그저.

즐겁고 괴로운 감촉이 마음을 사로잡지
못하지.
난 땅일 뿐.

자신의 몸을 물이라고 관찰하면,

마치 물에 깨끗한 것을 씻거나
북!
북!

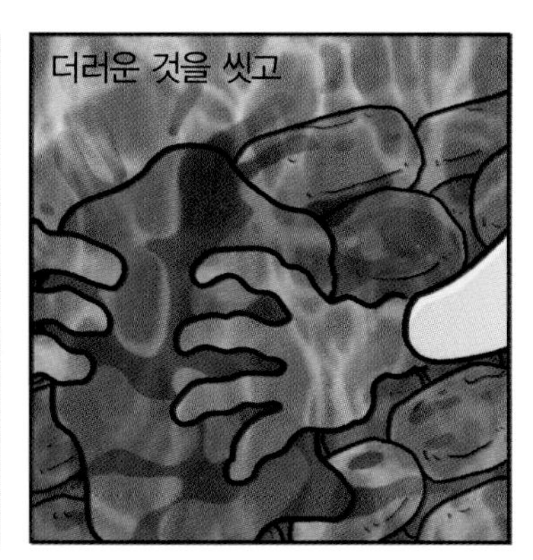
더러운 것을 씻고

똥을 씻거나 오줌을 씻더라도,
으~
시원하다.

침과 고름을 씻고

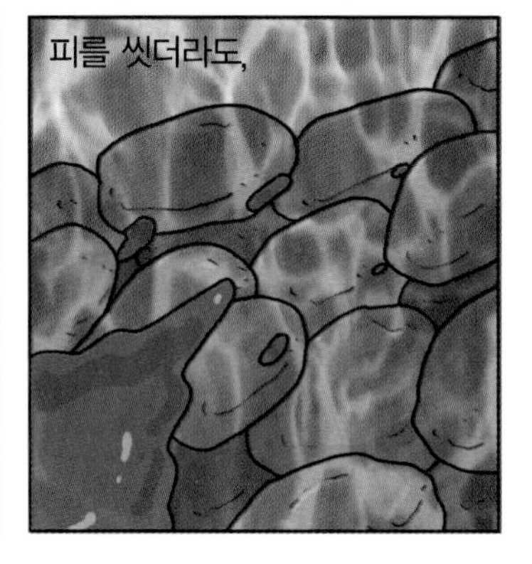
피를 씻더라도,

그 때문에 물이 번민하거나
괜찮아요?
응.

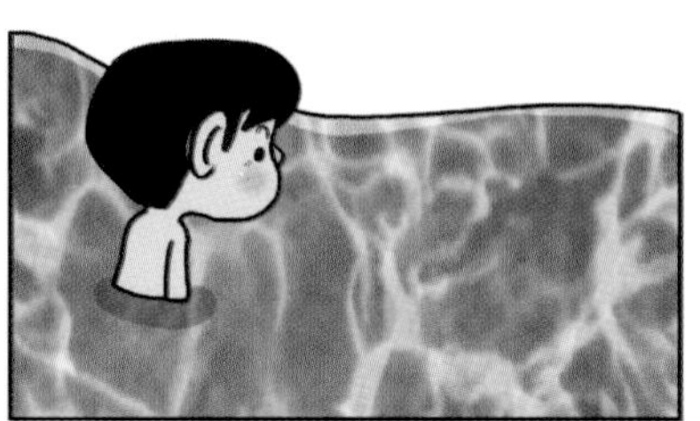
수치스러워하거나
기피하는 것이 없듯이,

우리에게 이미 생겨난
즐겁고 괴로운 감촉이
난 그저

마음을 사로잡지 못해.
물일 뿐

자신의 몸을 불이라고 관찰하면,

마치 불에 깨끗한 것을 태우든

더러운 것을 태우든

똥을 태우든 오줌을 태우든

침을 태우든 고름을 태우든
퉤퉤퉤!
찍!
찍!

피를 태우든

그 때문에 불이 번민하거나

수치스러워하거나 기피하는 것이
없듯,

우리에게 이미 생겨난 즐겁고
괴로운 감촉이
그저

마음을 사로잡지 못하는 거야.
불일 뿐

자신의 몸을 바람이라고
관찰하면,

마치 바람에 깨끗한 것을
날리더라도,

더러운 것을 날리더라도,

똥을 날리고, 오줌을 날리더라도,

침과 고름을 날리더라도,

피를 날리더라도,

그 때문에 바람이 번민하거나

수치스러워하거나 기피하는
것이 없듯,

이미 생겨난 즐겁고 괴로운 감촉이
그저

마음을 사로잡지 못해.
바람일 뿐

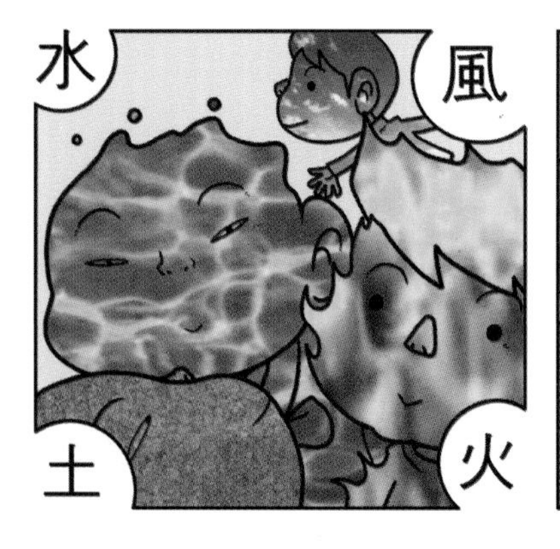
水
風
土
火

몸이 여러 가지 더러운 것들로
되어 있다는 생각은

몸을 감각적이고
몸은 그저

매력적인 것이라 인식하는 지각의 토대를
무너뜨림으로써

몸일 뿐.

육체적인 쾌락의 욕망에서
우리를 해방시켜 줘.

감각적인 쾌락의 속박에서
해방된다는 것은,
꿈틀
꿈틀

또한 그것과 결합된
영원성이나
휘리릭!

실체성에 대한 욕구에서
꽁!
꽁!

해방된다는 것을 의미해.
넌 나 같지만

그렇게 해서 우리가 신체와
내가 아니야.

자신을 동일시하지 않고

신체에 대한

감각적 쾌락에 탐닉하지 않고
우린 즐거움이 있어.

그것을 싫어하여 떠나.
됐거든요.

그것에서 벗어날 수 있다면,

신체의 현상인 늙음과
죽음은 단지

여러 요소들의 이합집산에 불과한
것이라는 것을 깨닫게 되지.

늙음과 죽음은 더 이상 우리에게 존재하지 않게 돼.

이러한 고통은
누구에게나 닥쳐 와.

제10장 깨달음과 수행의 장

빛과 어둠

누가 웃고 있나? 무엇이 즐거운가?
항상 세상은 불타고 그대들은 어둠에 싸여 있는데,
어찌 빛을 구하지 않는가?

잘 길들여진 말의 비유

잘 길들여진 말과 같이 모든 감각기관이 고요하고
망상을 끊고 번뇌가 없는 사람
하늘의 신도 그를 부러워하네.

우리는 시각, 청각, 후각, 미각, 촉각, 정신의 고삐를 당겨 그것들을 단련시켜야 해.

어떻게요?

감각기관을 고요히 한다는 것은
잘 길들여진 말의 감각기관처럼
난 예민하지.

힘과 능력을 갖추어 완전하게
안정시키는 것을 말해.
빠르고 정확해.
좌회전
우회전

안정? 고요?
음… 그럼
가만히 있으면 되겠네.

단순히 몸을 움직이지 않고
고요히 앉아 있다고 해서
고요해지는 것은 아니란다.
다리 저려~

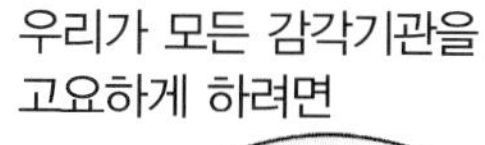
우리가 모든 감각기관을
고요하게 하려면

믿음, 정진, 새김, 집중, 지혜의 힘과
능력을 갖추어야만 해.
믿음
정진
새김
집중
지혜

올바로 원만히 깨달은
님이 되지.

상처투성이의 몸

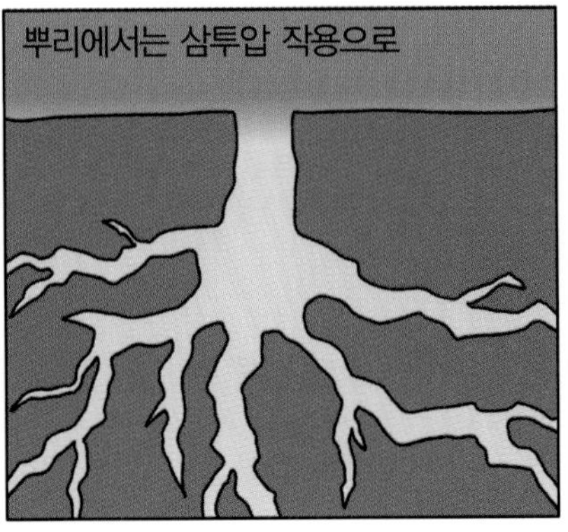

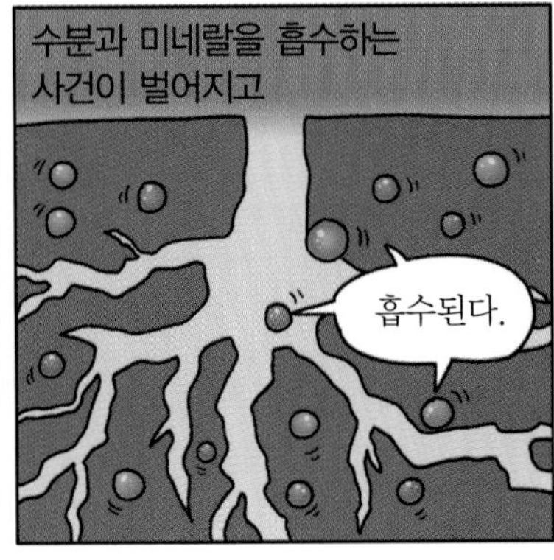

뿌리의 세포를 기능하기
위해서

잎사귀에서 탄소동화작용을 통해
축적된 양분으로
과학 책인가?

필요한 에너지를 소모하는 생화학적 반응
이라는 사건과 연관되어 일어난단다.

그 생화학적 반응은 뿌리가 산소를
필요로 해

외부의 공기를 흡입하는
일이지.
후하!
후하!

이와 같은 사건은 뿌리의
모든 세포에서 일어나고 있어.

이와 같이 장미꽃은
단순히 장미꽃이 아니라

무수한 사건의 집합이라 알 수
있어.

사건은 어디서 왔다가 어디로 가는 것이
아니라.
왔다
갔다

조건에 의해서 생겨났다가
조건이 없어지면 사라지는 것이지.

따라서 생겨나지만 온 곳을 알 수 없고
난 어디서 왔을까?

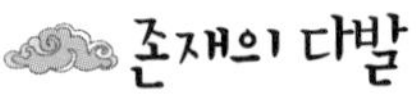

존재의 다발

그것은 다섯 가지 존재의 다발(五蘊*)로
이루어져 있어.

*오온 – 五 다섯 오, 蘊 쌓을 온.

물질의 다발, 느낌이 다발, 지각의 다발, 형성의 다발, 의식의 다발이 바로
그 다섯 가지 다발이야.

물질의 다발이란
물질의 집합을 말하는데

전통적으로 네 가지
위대한 요소,

곧 땅, 물, 불, 바람과 그 유도
물질을 말하는 거야.

유도 물질이라는 말에는

시각, 청각, 후각, 미각,
촉각의 물질적 감각 능력과

거기에 대응하는 외부적 대상인

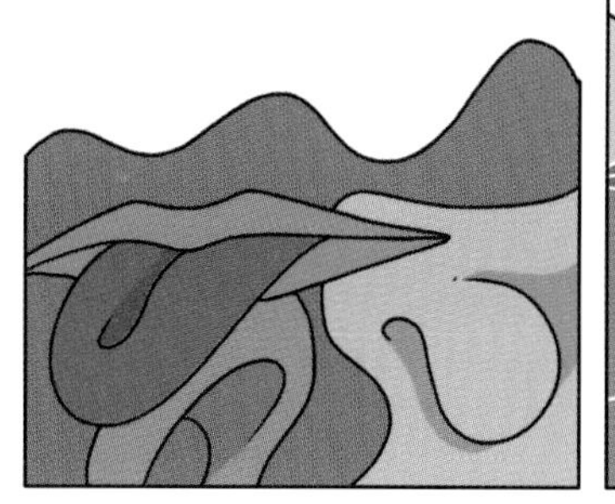
형상, 소리, 냄새, 맛, 감촉이
포함되어 있어.

이 유도 물질에는 내적 · 외적인
모든 물질이 포함돼.

느낌의 다발에서 느낌은

정신 · 신체적인 감각기관이 외부 세계와의 접촉을
통해서 경험되는

즐겁거나 괴로운 느낌과 즐겁지도 괴롭지도 않은
느낌을 포함해.

이 느낌에는 그것이 받아들여지는 기관에 따라
여섯 가지 종류가 있어.
여섯 가지?

괴롭고... 즐겁고...
음...아프고...

맛있고...향기롭고...
찝찝하고...

시각 접촉에 의한 느낌, 청각 접촉에 의한 느낌, 후각 접촉에 의한 느낌, 미각 접촉에 의한 느낌,
촉각 접촉에 의한 느낌, 정신 접촉에 의한 느낌이 바로 그것들이야.
아름답다.
냄새 좋고,
맛도 좋고
물컹거리는데,
스트레스!

우리의 모든 정신 · 신체적인 느낌은 모두
이 범주에 속한다고 할 수 있을 거야.

형성의 다발에서 형성에는

신체적 · 언어적 · 정신적 형성이 있어.

형성에는 선악과 같은
의도적 행위가 개입해.

업이라고 하는 것이 여기서
생겨나지.
다 니 업보야.

형성에는 외적인 대상의 지향에
따라서 이름 지어진

형상에 대한 의도, 소리에 대한 의도, 냄새에 대한 의도, 맛에 대한 의도,
감촉에 대한 의도, 사물에 대한 의도의 여섯 가지가 있어.

느낌과 지각은
의도가 아니야.
느 낌
지 각

그것들은 업보를 낳지 않거든.
업 보
지 각

믿음, 숙고, 의욕, 해석, 집중, 지혜, 정진, 탐욕,
성냄, 무명, 교만, 실체에 집착하는 견해 등은

업보를 낳는 의도적인
형성들이야.
업 보

지각의 다발에서 지각은
개념적인 파악을 의미해.
넌 개념
없잖아.

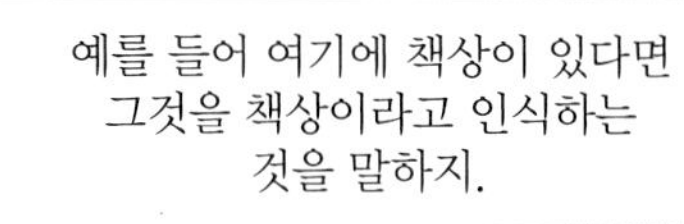
예를 들어 여기에 책상이 있다면
그것을 책상이라고 인식하는
것을 말하지.

이 지각에는 외적인 대상의
지향에 따라 이름을 지어준
책
방
모니터
책상
휴지통

형상에 대한 지각, 소리에 대한 지각, 냄새에 대한 지각,
맛에 대한 지각, 감촉에 대한 지각,
사물에 대한 지각 이렇게 여섯 가지가 있어.

의식은 대상을 지각하는 것이 아니라 명백히 이해하는 것을 말해.

그것은 일종의 알아차림이라 할 수 있어.

예를 들어 눈으로 파란 색의 물체를 보았을 때에,

의식은 빛깔의 존재를 알아챌 뿐이고,

그것이 파란 색이라는 것을 깨닫지는 못하지.

그러므로 이 단계에서는 아무런 지각이 없어.

그것이 파란 색이라는 것을 아는 것은 지각이야.

다른 형태의 의식들도 마찬가지야.

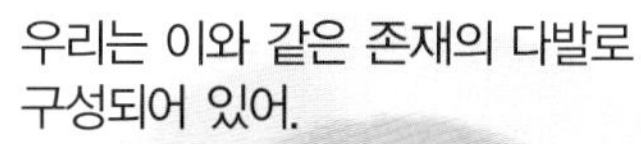

우리는 이와 같은 존재의 다발로 구성되어 있어.

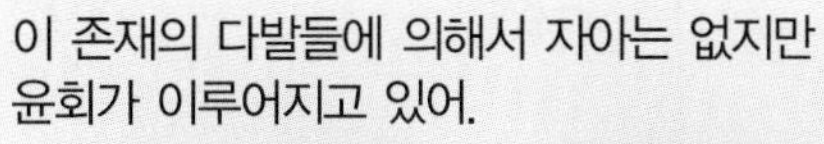

이 존재의 다발들에 의해서 자아는 없지만 윤회가 이루어지고 있어.

윤회에서 존재의 다발들의 재생은 노끈의 연결과 유사해.

이것은 다음과 같은 비트겐슈타인의
섬유론으로 가장 적절하게 설명될 수 있어.
루트비히 비트겐슈타인
(1889~1951)
오스트리아 태생의
영국 철학자.

노끈의 강도는
전체의 길이를 달리는 하나의 가닥에
의존하는 것이 아니야.

어떠한 가닥도 전체의
길이를 달리지는 않지만

겹쳐지고 엇갈리는 길고 짧은
섬유들 사이의 상호관계에 의존하지.

네?

비트겐슈타인의 말은

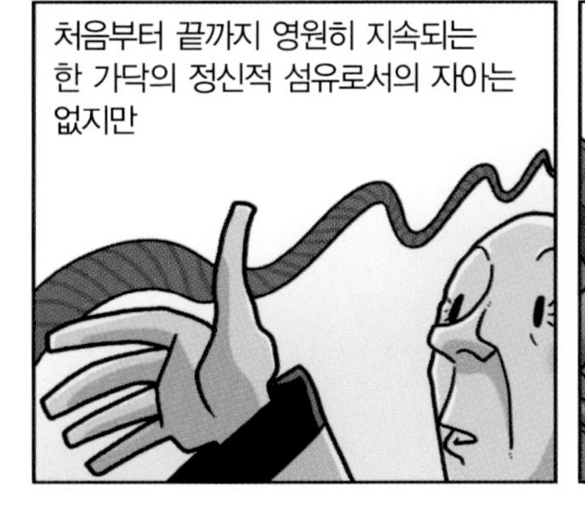
처음부터 끝까지 영원히 지속되는
한 가닥의 정신적 섬유로서의 자아는
없지만

그럼에도 불구하고,
무상하지만 겹쳐지고
꼬이면서

상호의존하며 수반되는 존재의
다발들로서의 지속성은 있다는 거야.

이것은 언제나 변화하면서
지속되는 불꽃의 비유와
같은 것이야.

윤회하는 것은 이와 같은
다섯 가지 존재의 다발이야.

다만 윤회에서 재생은
모닥불의 불티가 튕겨나가
저기로 가볼까.

그 모닥불이 꺼지고 다른 모닥불을 일으키는 것과 같아.
여기서 새 삶을 살자.

그 옮겨지는 불티에는 모든 존재의 다발의 요소가 들어 있어.

그 형성 작용이

의식을 조건 지으면서

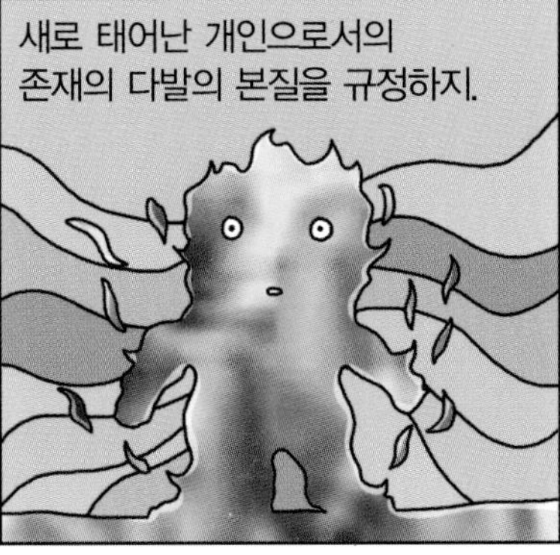
새로 태어난 개인으로서의 존재의 다발의 본질을 규정하지.

거기에는 자아라는 실체는 없고
난 누군가? 또 여긴 어딘가?

상호 의존되어 있는 다발들을 조건으로 변화하며 생겨났다가 사라지는
난 방금 나왔어.
난 사라질 거야.

'나' 라고 하는 관념의 형성이 일어날 뿐이지.

'나' 뿐만 아니라 모든 다발들은 시각이나 청각이나 후각이나 미각이나 촉각이나 정신과 관련되거나,

물질이나 느낌이나 지각이나 형성이나 의식과 연동되어
물질
느낌
의식
지각
형성

또한 그러한 사건이 일어나지 않는다고 하여 슬퍼한다면,

난 왜 아무 것도 없지?

명상과 지혜

지혜롭지 못한 자에겐 명상이 없고
명상이 없는 자에겐 지혜가 없다.
명상과 지혜가 갖추어지면
그는 열반에 가까이 있는 것이리.

명상에서 지혜가 생긴다.
명상이 없으면 지혜가 생겨나지 않나니
향상과 쇠퇴의 두 길을 알아서
지혜가 느는 방향으로 처신하라.

명상이라는 것은 착하고 건전한 것을 증진시키고
착하고 건전함이 상승했습니다.

악하고 불건전한 것을 제거하는 올바른 노력과,

자신과 사물에 대해 주의를 기울여 알아차리는 올바른 새김과,

감각적인 쾌락의 욕망을 제거하고
탕!

사유와 숙고를 일으키고
사유
숙고

그것을 뛰어넘어 평정에 드는 올바른 집중을 모두 포함하는 것이야.
우라차!!

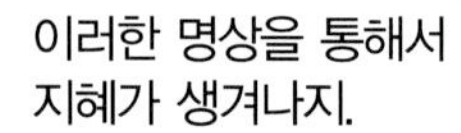
이러한 명상을 통해서 지혜가 생겨나지.

지혜

지혜라고 하는 것은 자신과 사물에 대해 있는 그대로 보는 눈을 가지고
아, 그렇구나.

자애롭게 사유하는 올바른 사유를 의미해.
자애로운 사유

'있는 그대로 본다.' 라고 하는 것은 모든 조건 지어진 것은 무상하고 괴로운 것이고

모든 사실은 실체가 없다는 삼법인의 진리를 보는 것을 뜻하지.
諸行無常
一切皆苦
諸法無我

뜨거운 쇳덩이와 빈 배의 비유

수행자여, 명상을 닦고 방일하지 말지니,
마음을 욕망으로 미혹되게 하지 말라.
방일하여 뜨거운 쇳덩이를 삼키지 말지니
불태워지면서 '괴롭다'고 울부짖지 말라.

수행자여, 배 안의 물을 퍼내라
비었을 때에 배는 가볍게 달린다.
애착과 미움을 끊으면,
그대는 열반에 이르리라.

또한 욕망과 욕망이 이루어지지 않았을 때의 분노,
앞으로 가자!
밟고 가자!

애착과 미움은 배 안에 찬 물과 같아.
가자! 가자!

배 안에 물이 차면, 배가 무거워서 목표를 향해 잘 달리지 못하지.
어?

우리의 삶도 이 배와 마찬가지야.
이번 시험은 열심히 하자.

우리가 삶의 목표를 세웠는데,
목표는 중간만 하자!
어이~

다른 여러 가지 때문에 애착하고 분노한다면,
게임 렙업도 안 하고 그냥 둘려고?

우리는 그 목표를 향해 나아갈 수가 없어.
으아아~

목표를 향한 욕망인 의욕 이외에 다른 여러 가지 욕망을 버리고,
에라, 모르겠다.

욕망이 이루어지지 않는다고 분노할 것이 아니라,

으악! 성적이 또 떨어졌어!

분노가 생기더라도 곧바로 알아채고 분노를 여의어야만 올바른 사유로 목표를 성취할 수 있어.
그래, 내 문제가 뭔지 알아보자.
우선 게임을 줄여보자.

세속적인 목표를 성취하려고 해도 욕망과 분노를 여의어야 하거늘,

하물며 최상의 목표인 열반을
성취함에서는 말할 것도
없을 거야.

청정한 삶

비록 수행자가 얻은 것이 적어도
스스로 얻은 것에 기뻐하면
청정한 삶을 사는 부지런한 자라고
신들마저 그를 찬양하리.

사람이 목표를
이루려 하면

우선 욕망을 여의고,
저리 가!
놀자~

스스로 얻은 것이 적어도 기뻐하는
습관을 키워야 해.

조금이지만
성적이 올랐어.

가난한 사람이 조금씩 노력하여 모으는
재산에 기뻐하지 못한다면,
작지만 조금씩
모아 봅시다.
통장

재산을 모을 수 없어.
언젠가
우리도 집이
생기겠지.
통장

공부하는 학생이 하나의 새로운 지식을
안 것에 대하여 기뻐할 줄 모르면,
이런 게
있었네.
오, 이것 봐!

공부를 진척시킬 수가 없어.

책은 즐거워.

또한 수행을 하는 사람이 작은 수행의
성과에 기뻐할 줄 모르면,
이젠 명상하다가 안 졸아.
오!

더욱 큰 수행의 성과에 도달하기
힘들어.

천리 길도 한걸음부터야.

스스로 내딛는 한걸음에 만족하지
못하면
좋아!

다음 걸음을 옮길 수 없거든.
천천히!

아무리 높은 산도 한걸음씩 옮겨서 올라가지.

그러다 보면 스스로 얻은 적은 것에 기뻐하는 사람에 대해서는 신들마저
청정한 삶을 사는 부지런한 사람이라고 칭찬할 거야.

제11장
올바른 삶의 장

살인사건
강도사건
납치미수

으~화난다!
납치미수

어떻게
이럴 수 있지?

부끄러움을
몰라서 그럴 거야.

부끄러움을
모르다뇨?

이번엔 올바른 삶의
장이란다. 함께 가 볼까?

부끄러움이 없이 철면피하고
무례하고 대담하고
죄악에 오염된
사람의 삶은 쉽다.
부끄러움이 있고 항상 청정을 구하고
집착 없이 겸손하여
청정한 생활을 영위하는
식견 있는 사람의 삶은 어렵다.

부끄러움은 부끄러움과
오늘은 이런 잘못을 했지…

창피함을 아는 것을 함께 말하는 것이야.

그것은 너무나 섬세한 감정의 흐름이어서
바쁘다 바빠!

우리 모두가 잊고 있는 것이야.
어?

그러나 모든 착하고 건전한 삶의 기반이라고 할 수 있지.
도와드릴게요.
고마워.

올바른 삶이란

부끄러움을 알아서 잘못된 삶을 버리고
이제는 올바르게 살아야지.

올바른 삶을 도모하는 것을 말해.
봉사활동

어머니와 아버지를 섬기고

아내와 자식을 돌보고,
출근길

나누어주고 정의롭고
친지를 보호하고
모금함

비난받지 않는 행동을 하는 것은
나쁜길
바른길

부끄러움을 알고 창피함을 아는 사람의

기본적인 삶의 윤리란다.

이러한 기본적인 노력이 없다면

세상은 무너지고 말 거야.

이것을 실천하는 것은 쉽지 않고
뭐하러 고생하니?

어려운 일이란다.
쉽게 돈 벌 수 있어!

올바로 사는 것은 어렵지.
어쩌지….
이리 와.

부끄러움이 없는 철면피한 삶은
쉽지만,
남의 것을 뺏고 떵떵거리며 나만 잘살면 돼!

내 놔!

부끄러움을 아는 청정한 삶은
어려워.
배는 고프더라도 떳떳하게 살자.

그래서 사람들은 손쉬운 삶을 찾아
흥! 남 속이기가 쉬운 줄 알아?

기만, 요설, 점술, 고리대부와 같은
이자 200%!
부적 100만 원!

잘못된 삶을 추구하는 거야.
뭐 어때?!

그래서 올바른 삶을 살려면

힘써 노력하는 삶이 필요한
거야.

우리는 올바른 삶을 통해

근면한 노력으로 얻고
팔의 힘으로 모으고
열심!
열심!

이마의 땀으로 벌어들인
월급날이다.

정당하게 얻어진 재산을
소유하여
이걸로 뭘 할까?
통장

자신에게 유익한 삶을
살아야 해.
학비
생활비
외식비

그뿐만 아니라 그 재산을 통해서
도박이나 하러
갈까?
통장
술이나 먹자.

탐욕적인 자본의 사용보다는
안 돼!
통장

이타적인 서비스정신에 의한
이익을 창출하는
가족과 함께 써야지.
흥!

삶을 살아야 한단다.

사용자는 피고용인에게
흠….

능력과 재능에 따라 일을 시키고
자넨 이 일!
자넨 저 일!

능력에 맞는 임금을 지불하고
경력이 있으니 월급도
올려 줄게.
유후!

몸에 병이 났을 때 치료해 주고
병원비는 걱정 마.

이따금 기부금이나 상여금을 지불해야
한다는 말이지
명절 보너스.
고맙습니다.

열심히 일해야지.

그리고 피고용인은
부지런해서
열심!
열심!

게으름을 피우지 말아야 하며

사용자의 말을 잘 듣고
이 부분을 마무리 해줘요.
네.

사용자를 속이지 말며
열성적이어야 하겠지.
훅!
훅!

작은 즐거움을 버리고
큰 즐거움을 얻을 수 있다면
현명한 사람은 큰 즐거움을 보고
작은 것을 버린다.

세상에는 감각적 쾌락을 주는
즐거운 것도 많아.
유흥
도박
사치
향락
우리랑 놀자.

그러나 이러한 즐거움은
작은 것이야.
뭐랑 놀까?
유흥
도박
사치
향락

응….

감각적 쾌락의 즐거움은 곧,
도박이랑 놀아야지!

고통으로 바뀌기 때문이지.
힝~ 쫄딱 망했어….
100

보다 큰 즐거움은
우리랑 놀자.
유흥
도박
사치

감각적 쾌락의 욕망을 여의는 즐거움이야.
너희는 싫어.

감각적 쾌락의 욕망을 여의면,
가자.
도박
사치

사유가 생겨나고 숙고가 생겨나서
스윽-
사유
숙고

진리를 탐구하는
쏙
쏙

기쁨의 삶이 생겨난단다.
행복한 느낌이야.

욕망의 태양이 지면,

이성의 별이 뜰 거야.

이 기쁨이 보다 큰 즐거움으로 가는
행복을 찾아 가야지.

관문이라 할 수 있어.
욕망을 버리고 왔구나.

이것을 통해 우리는
어서 가렴.

그것을 뛰어넘어
지복(至福)의 상태인

열반의 상태에 도달하거든.

실로 남을 괴롭히면서
행복을 구하는 자
그는 원망의 밧줄에 매어서
그 밧줄에서 벗어나지 못한다.

남을 괴롭히면서
행복을 구하는 자는
착취는 내 인생!

진정한 행복을 구할 수 없어.

부처님은 말씀하셨어.

모든 살아 있는 것은
고통을 싫어한다.

그들에게도 삶은 사랑스러운
것이다.

너 자신도 그들 중 하나라는 것을
인식하라.

죽이지도 괴롭히지도 말라.

남을 괴롭히는 자는
넌 이제
왕따야!

그 악행만으로도 번뇌에 묶여
괴롭지만,
뭐야, 이건?

그보다 더욱 고통스러운 것은
스멀~
스멀~

괴롭힘을 당한 자의

원망의 밧줄에 묶이기
때문이야.
으윽!!

따라서 행복을 구하는 자는

자애로운 사유를 하며,
이건 뭘까?
저건 뭘까?
뭘까?

자신의 번뇌에서도 벗어나고
저리 가!

남의 원망의 밧줄에 묶이지
말아야 하는 거야.

해야 할 일을 등한시 하고
해서는 안 될 일을 행하고
교만하고 방일한 자
그들에겐 번뇌가 증가한다.
항상 몸에 대해 새김을 확립하여
해서는 안 될 일을 행하지 않고
새김을 확립하고 올바로 알아차리는 자
그들에겐 번뇌가 소멸한다.

살생하고,

거짓을 말하고,
내가 안
죽였어!

주지 않은 것을 빼앗고,
도둑이야!

사랑을 나눔에 잘못을 범하고,
아빠…
여보…

곡주나 과일주 등 취기 있는 것에 취하는 것은,

해서는 안 될 일을 하는 것이야.
나쁜 사람!

이와 같이 인간이 지켜야 할

윤리적인 덕목을 지키지 않는

교만하고 방일한 자에게는 번뇌가 증가해.

그러나 살생을 삼가고,
밟을 뻔했다.

주지 않는 것을 빼앗지 않고,
지갑이네. 주인 찾아 줘야겠다.

사랑을 나눔에 잘못을 범하지 않고,
아빠 어깨 주물러 드릴게요.

곡주나 과일주 등 취기 있는 것에 취하지 않는 것은

해야 할 일을 행하는 것이야.
으쓱!
으쓱!

＊부정관(不淨觀) – 인간의 몸이 더러운 것을 깨달아 탐욕을 없애는 관법을 말한다.

그렇게 해서 보다 분명히 몸을
지각하게 되면,
음….

미세한 신체를 발견하게 되는데

그것이 호흡이야.

호흡에 대한 관찰은 단지
육체적인 훈련이 아니라,
헉! 헉!
헥! 헥!

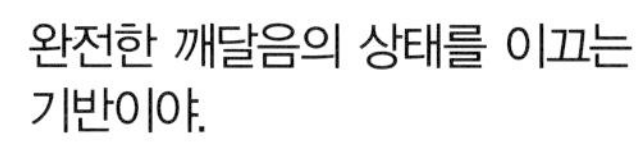
완전한 깨달음의 상태를 이끄는
기반이야.

호흡에 대한 새김은
얕은 단계에서
스~하~

점점 깊은 단계로 이행할 수 있어.
스~으~하

먼저 긴 들숨과 날숨을 일어나는
대로 관찰하고,
스~읍
후~우~

이어서 짧은 들숨과 날숨을 일어나는
대로 관찰해야 해.
스~
하~

새김이 점점 깊어지면,
스~읍
후~우

들숨과 날숨의 시작에서 경과와
종말에 이르기까지의

전 과정을 관찰할 수 있어.

그렇게 되면, 전신(全身)을 분명히 지각하면서 호흡하는
입으로만 하지 말고

전신호흡의 단계로 발전한단다.
온몸으로!
스~하
스~하

그 다음에는 호흡이 멈추면서
스~
~읍!

신체가 극도로 미세하고 청정하게 될 거야.

이렇게 되면, 모든 번뇌가 소멸하는
가까이
갈 수 없어.

명상의 기반이 완성되는 것이지.

여자의 더러움은 정숙하지 못함이고
보시하는 자에게는 인색함이 더러움이고
악한 성품들이야말로
이 세상과 저 세상에서 더러움이지만,
그 더러움보다 더러운 것이 무지이니
더러운 것 가운데 최악의 것이네.
이 더러움을 버리고
수행자여, 청정한 삶을 영위하라.

길가의 쓰레기가 더러운 것이 아니라,

윤리적 규범을 어기는 것이
우리가 잘못인가?

번뇌를 유발하는 더러운 것이야.
우릴 버린 이가 잘못인가?
휙!

정숙하지 못하거나 순결하지 못한 것은
너! 바람 피웠지?!
너는 어떻고!

남녀 간 사랑의 더러움이고,
으르릉!!

인색함은 보시하는 자의 더러움이야.
아까워! 안 줘!
보시
자비심으로 남에게 재물이나 불법을 베풂

보시하는 자는
난 안 줄 거야!

인색함을 이겨서 믿음으로 기뻐하며
용돈이 얼마 안 남았지만
모금

보시해야 한단다.
감사해요.

그리고 탐욕과 분노와 같은 악한 성품들이
내 거야!
내 거!

이 세상과 저 세상의 더러움이야.
싸우자!

그러나 더욱 큰 더러움이 있어.

더러운 것보다 더욱 더러운 것,

최후이자 최악의 더러운 것은 무지야.
난 내가 뭘 모르는지 몰라.

그러므로 수행으로
탐욕과 분노를 제거하고

지혜로서 무지를 부수어야 하는 것이지.

비록 나이가 젊다고 해도
깨달은 님의 가르침을 힘써 행하면
구름에서 벗어난 달처럼
이 세상을 밝게 비추리라.
참사람은 멀리 있어도
히말라야의 산처럼 빛난다.
참사람이 아닌 사람은 밤에 쏜 화살처럼
가까이 있어도 보이지 않는다.

젊은 사람은
새파랗게 젊다는 게
한 밑천인데~!

정신 · 신체적인 활동이 활발해서
탁탁!
훕훕!

쉽게 감각적인 쾌락의 욕망에
사로잡혀.
우싸!
우싸!
스윽~

그 욕망에 사로잡히면,
속닥
속닥

그것을 이루지 못할 때의
분노도 커지고
왜! 나만
이렇게
가난한
거야!

미혹도 강성해져.
은행돈이
내 돈이지
뭐!
미혹(迷惑)
무엇이 홀려 정신을
차리지 못함.

그렇게 되면,
그는 욕망을 거슬러
돈 내놔!

평정한 삶을 살기가
어렵게 될 거야.

그러나 비록 젊다고 해도
우린 어리지만

깨달은 님의 가르침을 따라
가르침

탐욕과 분노와 미혹을 제어하고

힘써 가르침을 행하며
올바른 삶을 산다면,
열심히!
열심히!

그는 구름에 벗어난 달처럼
세상을 비춘단다.

나이가 젊든, 나이가 많든

올바른 삶을 사는 참사람은
멀리 있어도 항상 히말라야 산처럼
빛나지만,

잘못된 삶을 사는 사람은

가까이 있어도 밤에 쏜 화살처럼 보이지 않는다고 해.

제12장
거룩한 님의 장

후하! 후하~!

휴~ 엄청
뛰어 왔네요.

법구경
법구경

이제 거의 다왔어.

자~ 《법구경》의 마지막장 '거룩한 님의 장' 으로
가볼까?

'진리를 아는 자는 결국
더 이상 윤회하지 않는다.' 라는

*욕계(欲界) – 중생이 생사 왕래하는 세 가지 세계인 욕계, 색계, 무색계를 뜻하는 삼계(三界) 가운데 하나로, 지옥 · 악귀 · 축생 · 아수라 · 인간 · 육욕천을 함께 이르는 말이다.

미세한 물질계에 대한
탐욕의 결박은
금이다.

낮은 단계의 하느님들이 묶여
있는 결박이고,

비물질계에 대한 탐욕의 결박은 높은
단계의 하느님들이 묶여 있는 결박이야.

이러한 결박이 남김없이 끊어진 사람을 거룩한 님이라고 할 수 있어.

최후의 몸

탐욕을 여의고 분노를 여의고
서원을 지키고 계행을 준수하고
감관을 자제하여 최후의 몸을 성취한 사람
그를 나는 거룩한 님이라 한다.

인간의 탐욕은 끝이 없어.
더!
더!

괴테는 탐욕에 대해 이렇게 말했어.
욕망 속에서 쾌락에 굶주리고,
쾌락 속에서 욕망에 굶주리는 것!

소크라테스는 말했어.
황금을 좇는 사람은 먼지만 뒤집어쓰고, 발견하는 것은 적다.

내 생각이 맞지?

탐욕을 여의는 것만이 탐욕을 완전히 정복하는 것이야.
잘 가~!
칫!

탐욕을 여의면, 분노도 극복될 수 있지.

분노의 꼭지에는 탐욕의 꿀이 달리고,
난 꿀이야.

뿌리에는 증오의 독이 들어 있기 때문이란다.

그리고 서원을 지키고 계행을 준수하고 감각기관을 자제하면,

최후의 몸을 얻을 수 있어.

최후의 몸?

최후의 몸이란,

진리에 대한 올바른 깨달음을 얻은 몸을 말하며,
으쌰!

더 이상 윤회의 고통에 빠지지 않는 몸을 말해.
야호!
윤회의 고통

이 최후의 몸을 얻은 사람이
바로 거룩한 님이야.

연꽃이 물에 젖지 않고
송곳 끝에 겨자씨도 머물지 못하듯
모든 욕망에 물들지 않는 사람
그를 나는 거룩한 님이라고 하리.
송곳 끝의 겨자씨가 떨어지듯
탐욕과 증오와 망상과 허위
그것들이 떨어져 나간 사람,
그를 나는 거룩한 님이라고 하리.

연꽃은 못의 물에
젖지 않는다.

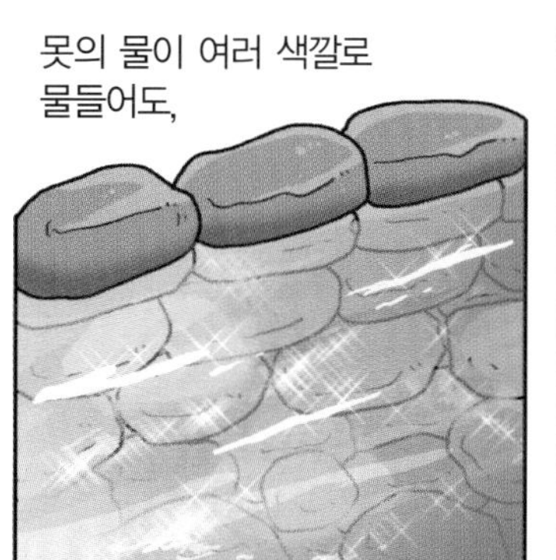
못의 물이 여러 색깔로
물들어도,

뜨거운 볕에 부글부글 끓어도,
이끼가 끼어 혼탁해도,

바람이 불어 파도가 쳐도,
흙탕물로 흐려져도,

그 물에 젖지 않지.

이와 마찬가지로 거룩한 님은 감각적 쾌락의
욕망에 물들지 않고,
저리 가!

분노에 물들지 않고,
화를 내지 않겠어.

폭력의 여읨

약한 자나 강한 자나
모든 존재에 대한 폭력을 내려놓고
죽이지도 죽이게 하지도 않는 사람
그를 나는 거룩한 님이라고 하리.

대적하는 자에게 대적하지 않고
폭력을 쓰는 자 가운데서도 고요하고
집착 있는 자 속에서 집착을 여읜 사람
그를 나는 거룩한 님이라고 하리.

비폭력은 약한 자나 강한 자에게나
모든 폭력을 내려놓는 것을 말해.
NO!

'폭력을 내려놓는다.' 라는
것은
쿵
폭력

폭력을 여의고 자애의 마음을
일으키는 것이야.
자
아
폭력

상대가 칼을 휘두른다고
덤벼!

같이 칼을 휘두르는 것은
한판 붙자!

대적하는 것과 마찬가지야.

상대가 칼을 휘두른다고
하더라도
덤벼!

자애의 마음으로 폭력을 멈추라고
설득하는 것이 비폭력이지.
STOP!

부처님은 희대의 살인자
앙굴리말라를 자애의
마음으로 설득시켰어.

살인자 앙굴리말라는 꼬쌀라 국의 법정직원이었던
아버지 각가의 아들로,

딱샤실라의 대학에서 엘리트
교육을 받은 인물이었어.
엘리트
출신이라고!

그는 스승이 가장 총애하는
제자였기도 하지.
넌 최고야.

그러나 동료 학생들이
그를 시기한 나머지
흥!

스승의 아내와 관계를 맺었다고
무고하는 바람에
그 자식이 그랬어요!
저도 봤어요!

스승의 저주를 받고 그의 운명이
바뀌었어.
널 저주하겠다!

그래서 그는 고대 인도의 가장 큰
범죄 집단에 빠져 그 리더로서
활약했어.

그는 피살자의 손가락으로 목걸이를
만들 정도로 잔인했으며,

지적이고 또 영리해서
체포를 피하고
날 잡아봐라~

빠세나디 왕의 경찰력을
무력하게 만들었어.
메롱~
헉!
헉!

어느 날 앙굴리말라가 싸밧티 시로 온다는
사람들의 경고에도 불구하고 부처님은
그를 만나러 가셨어.
내가 그를 만나겠소.
안됩니다.

흥! 죽을 준비나
하시지!

그러자 앙굴리말라는 칼을 들고
부처님을 죽이려고 달려왔으나,

그를 피해 걸음을 옮기는 부처님을
따라잡을 수 없었지.
휙!
휙!

부처님은 걸음을 옮기면서
나는 멈추었다. 앙굴리말라여, 그대도 멈춰라.

그러자 흉적 앙굴리말라는 부처님이 모순된 말을 하는 것을 이상하게 생각하여
나는 멈추었다. 앙굴리말라여, 그대도 멈춰라.
뭐?

음……

잠시 공격을 멈추고 그 이유를 물었어.
그게 무슨 말입니까?

부처님은 그에게
나는 폭력을 멈추었다. 그대도 폭력을 멈추어라.

그 순간 앙굴리말라는 더 이상 살인을 그만두고
툭!

부처님의 제자가 되었다고 해.

상대가 나를 해친다고 해서 분노의 마음을 일으키면,
우이씨! 덤벼!

폭력을 쓰는 자 가운데서 고요할 수가 없고
우당탕!

상대를 설득시킬 수도 없어.

이 세상과 저 세상

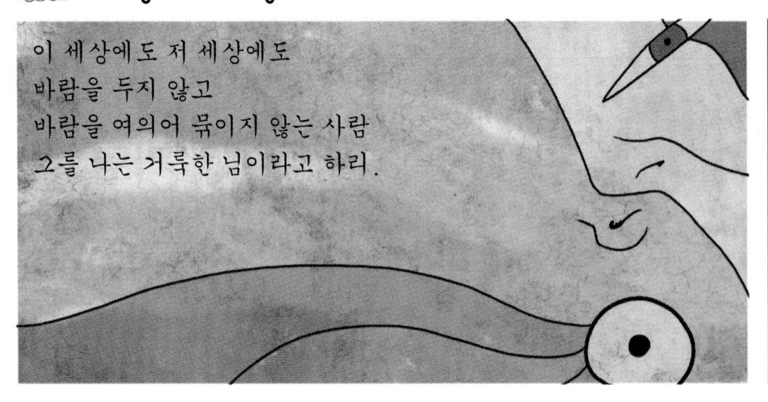

인간의 바람이나 소망은 적절하게 통제되어야 한다고 생각해.

바람이나 소망은 추구의 대상이 아니라
제어하고 극복할 대상이라는 말이지.
내 꿈은 세계정복!
푸웁!

궁극적으로는 그것들을 여의어, 현실을 직시하고
세상의 고통을 성찰하고
세계정복 하기 전에
청소부터 하자.
아, 그럴까.

닫힌 이상 세계가 아니라
열린 현실 세계에서
이건 버리고
휴지통

그 개선을 도모하는 것보다 못한 것이라는 말이야.

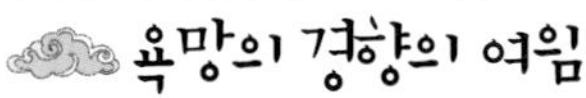
욕망의 경향의 여읨

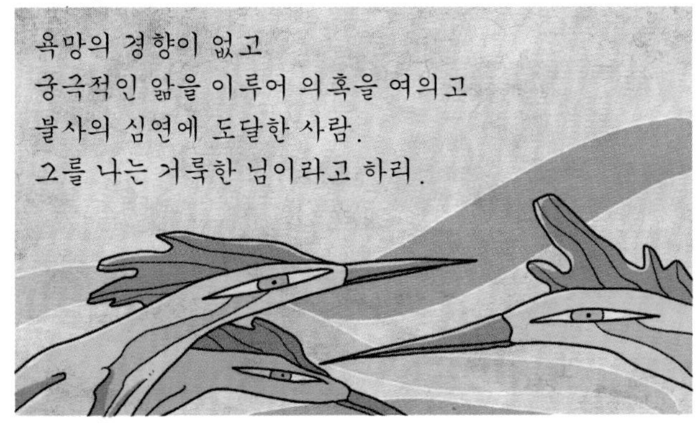
욕망의 경향이 없고
궁극적인 앎을 이루어 의혹을 여의고
불사의 심연에 도달한 사람.
그를 나는 거룩한 님이라고 하리.

행위에 의해서 존재가 결정되는 것이지
존재에 의해서 행위가 결정되는 것은
아니라고 생각해.
네?

누구나 도둑질을 하면
도둑이 되는 것이지,
도둑이야!
휙!

애초부터 도둑이기 때문에 도둑질
하는 것은 아니기 때문이야.
엄마 아빠!
전 도둑이 될
운명이에요.
뭐?

그런데 행위는 욕망에 의해서
추동되는 것이야.
비싼 옷에!
비싼 차를
가지고 싶어!

모든 욕망에서 완전히 벗어나면,
존재의 윤회를 여의고

선악의 초월

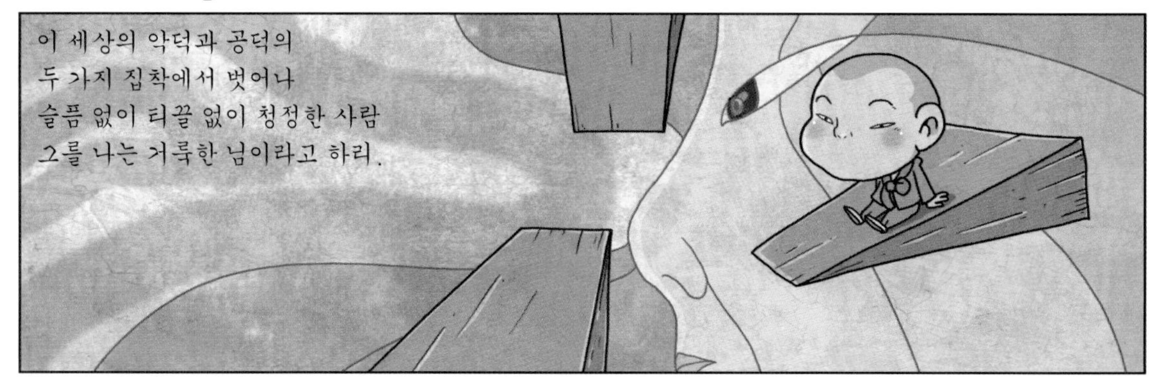

우리에게 거친 고통을 유발하는
악덕에서 벗어나기 위해서는

선행에 의한 공덕을 쌓아야
하는 거야.
선행

그런데 선한 것으로
악덕을 대하는 것은
선행

마치 능숙한 미장이가 작은 쐐기로
큰 쐐기를 제거하는 것과 같아.

악덕은 큰 쐐기와 같고,
악덕

공덕은 작은 쐐기와 같지.
공덕

그래서 악덕은 제거되더라도
공덕의 작은 쐐기가
쿵
쏙

우리에게 미세한 고통으로
남아.
찜찜해.

우리가 이것을 감지하기란
대단히 어려워.
하지만
모르겠어.

그러나 그것마저 알아채고
제거하는 방법이 명상 수행이야.
아! 알겠다.

그렇게 해서 악덕과 공덕의
두 가지에서 모두 벗어나면,
쏙!

슬픔 없이 티끌 없이
청정한 상태에 도달하는 거야.

달과 같이 오염 없이 청정하고
맑아서 혼탁함이 없고
향락의 존재를 부수어버린 사람
그를 나는 거룩한 님이라고 하리.

모든 존재는 쾌락과 불쾌가
있을 때,

불쾌를 버리고
쾌락을 추구하는,
휙!

갖가지 감각적 쾌락의 욕망에 물든
향락의 존재라 할 수 있어.

그러나 그 충동적인 욕망을
제어하고 쾌락을 버리고
휙!

올바른 것이라면 불쾌를
인내할 수 있을 때,
힘들긴
하지만…

향락의 존재는 부수어진단다.
빠직!

그 향락의 존재가 부수어지면,
우르르르~

욕망의 오염에서 벗어나
청정하고 맑아서

혼탁함에서 벗어날 수 있어

우리의 마음은 물질이나
느낌이나 지각이나
불룩

신체적 · 언어적 · 정신적
형성이나

의식의 향락에 의해서 오염되고 자라고 성장하고
증대되는 거야.
꿈틀
꿈틀
거짓말
상처
악플
비속어
방관
나태
비방
욕설

그러나 향락을 멈추면,
STOP

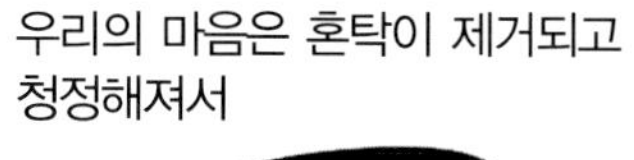
우리의 마음은 혼탁이 제거되고
청정해져서

쑤욱

그러한 대상들을 있는 그대로
관찰할 수 있어.
비관
나태
비
욕설
악플
거짓말

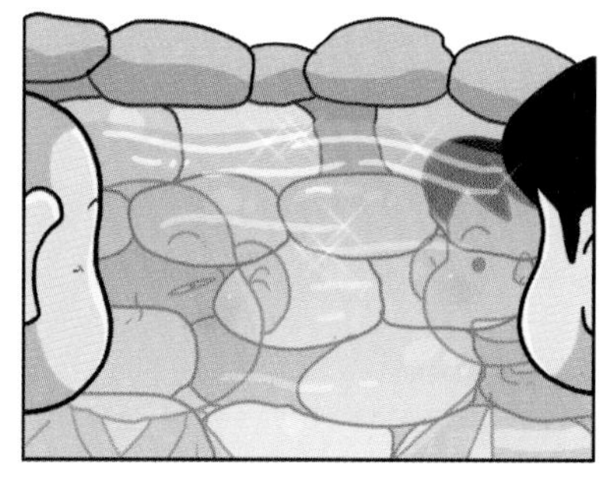
예를 들어 물이 가득 찬 호수가
청정하고, 맑고, 깨끗하다면,

눈 있는 사람이 물가에 서서
움직이거나 서 있는 굴과 조개,

자갈과 돌, 물고기와 수초를
볼 수 있잖아.

그것은 무슨 까닭인가?

물이 청정하기 때문이야.

이와 같이 마음이 청정하면,
자신의 이익을 알 수 있고,

타인의 이익을 알 수가 있고,
넌 그렇구나.

그 양자의 이익을 알 수 있고
우린 그렇구나.

인간의 성품을 뛰어넘는 고귀한 앎과 봄을 실현할 수 있어.

멍에의 버림

인간의 멍에를 버리고
천상의 멍에마저 뛰어넘어
모든 멍에를 벗어던진 사람
그를 나는 거룩한 님이라고 하리.

인간의 멍에는

개체가 있다는 견해의 결박, 회의적 의심의 결박, 규범과 금기에 대한 집착의 결박,
니가 그랬지?
이건 하지 마!

감각적 쾌락에 대한 탐욕의 결박,
재미있다.
가지고 싶다.
게임기

분노의 결박이라는 다섯 가지 낮은 단계의 결박을 말해.
화난다!
나도!

인간의 멍에에 첫 번째가

남과 구분되는 개체가 있다고 생각하는 결박이야.
난 너랑 달라!

다른 사람과 구분되는 별개의 개체가 존재한다면,
본질부터 다르단 말야!

두 사람 사이의 의사 소통이 매우 힘들어.
그래? 한번 붙어보자!

두 사람 사이에 의사 소통이 가능한 것은

정신 · 신체적인 여러 구성 요소들의 상호작용이

공통된 인식의 바다에서 일어나기 때문이야.

결국 똑같은데…

그러므로 개체가 있다는 견해는 분석적인 이해로 극복될 수 있어.

회의적 의심은
의심스러워~

어리석음을 수반하는 상습적인 미결정과 미해결,
이걸 해도 될까?
이걸 할까?
그냥 하지 마!

신뢰의 결여 등을 뜻하지.
회사에서 나가!
이건 음모야!

그래서 사람들은 각종 점술이나 관상, 예언 등에 묶여 있는 거야.
얼굴이 길어서 그래.
얼굴을 줄여.
역시!
관상
사주

이러한 의심에 대한 해결은 질문, 탐구, 학습을 통해 해결될 수 있다고 봐.
그냥 열심히 한번 해보는 게 어때요?

규범과 금기에 대한 집착은

인도에서 개나 소 따위가 죽은 뒤에
천상에 태어난다고 믿어서

개나 소처럼 행동하며 똥을 먹고
풀을 먹으면서
우걱우걱
우걱우걱

천상에 태어난다고 집착하는 미신과 터부에
대한 집착을 말해.

이러한 것은 올바른 도덕적 원리에 대한 가르침으로
극복될 수 있어.

감각적 쾌락에 대한 탐욕과 그것이
이루어지지 않을 때의 분노는
크아악!

자비에 입각한 사유로 극복될 수 있어.

천상의 멍에는 미세한 물질계에 대한
탐욕의 결박,
다 내 거야!

비물질계에 대한 탐욕의 결박,
하늘도 내 거야!

자만의 결박,
내가 최고야!
뭐야!
재수 없어

자기정당화의 결박,
내가 뭘! 어쩔 수 없었어!

무지의 결박이라는 다섯 가지 높은 단계의 결박을 말해.

미세한 물질계에 대한 탐욕과 비물질계에 대한 탐욕은

깊은 명상의 세계와 관계된 신들의 세계에 존재하는 탐욕을 두고 말하는 거야.

그들은 선행을 통해서 낮은 단계의 결박을 극복했더라도

자만과 자기정당화, 무지의 미세한 번뇌에 묶여 있지.

이러한 것들은 사물을 있는 그대로 보는 지혜의 힘으로 극복될 수 있단다.

그러므로 거룩한 님은 이러한 인간의 멍에와 천상의 멍에를 모두 벗어던진

깨달은 님을 말해.

드디어 마지막 시구나.
벌써요?

자~ 그럼 거룩한 님을 향해 가볼까!
이쪽으로~

헤헤.

뭇 삶의 삶과 죽음을 자각하고
집착을 여의고
궁극의 앎을 성취한 사람
그를 나는 거룩한 님이라고 하리.

우리가 삶과 죽음의 굴레에서 윤회하는 것은 집착 때문인데,
집착

집착은 곧 자신과 정신 · 신체적인 요소를 동일시하기 때문에 생겨나는 거야.

따라서 집착은 욕망에서 비롯되는 것이며
집착
저걸 가져.

정신 · 신체적인 요소인 세계와 자아를 동일시하는

실존적 집착으로 이루어져 있다고 볼 수 있어.
넌
나야.

그리고 '이것은 진리이고 다른 것은 거짓이다.' 라고
집착하기도 하지.
나만 믿어.

이렇게 해서 집착은 존재로 발전하게
되는 거야.
날 믿어.

그러나 '이것은 나의 것이 아니고, 이것은 참으로 내가 아니고,
이것이야말로 나의 자아가 아니다.' 라는
넌 내가 아니야.

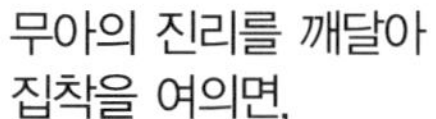
무아의 진리를 깨달아
집착을 여의면,

버리자.

'태어남은 부서졌고, 청정한 삶은 이루어졌고, 해야 할 일은 다
마쳤으니, 더 이상 윤회하지 않는다.' 라는

궁극의 앎을 성취하여,

거룩한 님이 될 수 있을 거야.

불교佛敎 바로 알기

불교란 무엇인가?

▲ **유성출가**
부처님이 29세에 왕위 계승과 사랑하는 처자식을 버리고 성을 떠나 출가하는 모습.

1. 불교는 어떤 종교인가?

불교란 BC 5세기 무렵 인도의 동부 지방에서 석가모니가 만든 종교입니다. 석가모니 부처님의 가르침을 배우고 행동으로 옮기는 것을 목표로 하지요. 가르침의 목적은 모든 사람을 부처(여기에서 말하는 부처란 깊고 참된 진리를 깨달은 사람을 뜻합니다.)로 만드는 데 있어요. 따라서 불교는 우리 모두를 부처로 만드는 종교라고 할 수 있습니다. 우리나라를 비롯하여 중국이나 일본 등지에서는 대승 불교가 발달했고, 미얀마나 태국 그리고 스리랑카 등의 나라에서는 주로 소승불교가 발달해 있어요. 현재 불교는 기독교, 이슬람교와 함께 세계 3대 종교 중의 하나랍니다.

2. 부처가 되기 위한 기본 수행

불교에서는 부처님의 가르침을 따르기 위해 기본적으로 아래와 같은 '삼귀의'와 '사홍서원'과 '육바라밀'을 지켜야 한다고 합니다.

삼귀의三歸依

삼귀의란 불교에서 가장 중요하게 생각하는 세 가지, 즉 삼보三寶에 몸과 마음을 의지하는 것을 말합니다. 삼보란 부처님을 의미하는 불佛과 가르침을 의미하는 법法, 참모임 또는 스님들을 의미하는 승僧이에요. 그래서 절에 가면 사람들에게 가장 먼저 다음과 같은 문장을 외우게 하지요.

1. 거룩한 부처님께 귀의합니다.
2. 거룩한 가르침에 귀의합니다.
3. 거룩한 스님들께 귀의합니다.

사홍서원四弘誓願

사홍서원은 부처가 되기 전의 사람들, 즉 보살들이 가져야 할 네 가지 큰 맹세를 말해요. 우리나라 모든 불교 의식에서 끝을 맺을 때 사홍서원을 외운답니다.

1. 중생무변서원도衆生無邊誓願度 – 세상의 한량없는 뭇삶들, 즉 일체의 모든 존재들을 구제하겠다는 맹세입니다.
2. 번뇌무진서원단煩惱無盡誓願斷 – 끝없이 생겨나는 뭇삶들의 그 많은 번뇌를 모두 끊겠다는 맹세입니다.
3. 법문무량서원학法門無量誓願學 – 광대하고 한량없는 부처님의 가르침을 모두 배워 깨닫겠다는 맹세입니다.
4. 불도무상서원성佛道無上誓願成 – 위없는 부처님의 가르침을 닦아서 바르고 원만한 깨달음에 이르겠다는 맹세입니다.

육바라밀六波羅蜜 – 바라밀은 바라밀다(paramita '피안에 이른다.', '완성한다.' 라는 뜻을 가진 불교 용어예요.)의 줄임 말이에요. 불교에서 열반의 세계에 가기 위해 꼭 해야 하는 다음과 같은 보살의 여섯 가지 수행을 말해요.

1. 보시布施 – 타인, 즉 이웃에게 편안함을 베풀 수 있어야 한다.
2. 지계持戒 – 욕망을 억제하고 선을 행할 수 있어야 한다.
3. 인욕忍辱 – 고통을 참을 수 있어야 한다.
4. 정진精進 – 수행을 적극적으로 해야 한다.
5. 선정禪定 – 한마음으로 사물을 생각하여 정신 집중을 이룩해야 한다.
6. 지혜智慧 – 우주의 진리를 직관할 수 있어야 한다.

▲ **고행하는 붓다상**(라호르 미술관 소장). 석가모니는 극한의 고행을 거친 후 진정한 깨달음은 고행이 아니라 선정에 있음을 말하였다.

3. 불교의 역사

석가모니 부처님이 세상을 떠난 후, 약 100년 동안의 불교의 사상은 소박했고, 교단은 통일되어 있었습니다. 이 시기의 불교를 원시 불교라고 해요. 하지만 시간이 지나면서 원시 불교는 여러 가지 부파로 나뉘어 부파 불교 시대를 열었어요. 그러다가 1세기 전후로 대승불교가 일어나지요. 오랜 세월 동안 인도에서 불교가 발달했지만, 12세기 말에 이슬람교도의 침입으로 인도 불교는 쇠퇴해요. 대신에 불교는 아시아 각 지역으로 흩어져 독립적으로 발달하면서 문화적으로 사상적으로 많은 사람들에게 큰 영향력을 행사하지요.

(1) 초기 불교

석가모니 부처님이 직접 많은 곳을 돌아다니시며 많은 사람들을 교화시킨 때부터 부처님이 세상을 떠난 후 약 100년까지의 불교를 말해요.

(2) 부파 불교

석가모니 부처님이 세상을 떠나고 100여 년이 지나자, 불교 교단 안으로 교리와 계율의 해석 문제를 놓고 많은 논쟁이 일어났어요. 과거의 계율을 엄격히 지켜야 한다는 보수적인 성향을 지닌 사람들과 시대 변화에 따라 융통성 있게 받아들여야 한다는 진보적인 성향의 띤 사람들이 생겼어요. 보수적인 경향을 띤 사람들을 상좌부上座部라고 하고, 진보적인 성향을 띤 사람들을 대중부大衆部라고 합니다. 불교에서는 이들의 논쟁과 대립을 '근본 분열' 이라고 해요. 이들 두 파는 다시 작은 분파로 나뉘게 되었는데, 기원전 200년 무렵에 모두 20여 개에 이르렀다고 합니다.

(3) 대승 불교

'대승' 은 큰(maha) 수레(yana)라는 뜻이에요. 즉 많은 사람을 구제하여 태우는 큰 수레를 의미하지요. 대승 불교는 되도록 많은 사람들에게 부처님의 도를 전하는 것을 목적으로 한답니다. 원래 불교는 출가자出家者(승려) 중심의 종교였어요. 그런데 불교를 널리 일반 대중들에게 개방해야 한다는 진보적인 생각을 가진 사람들이 생겨났어요. 이들이 대승 불교를 만들었어요. 대승 불교는 석가에게만 한정하던 부처라는 개념을 넓혀서 모든 사람들이 부처가 될 수 있음을 인정했습니

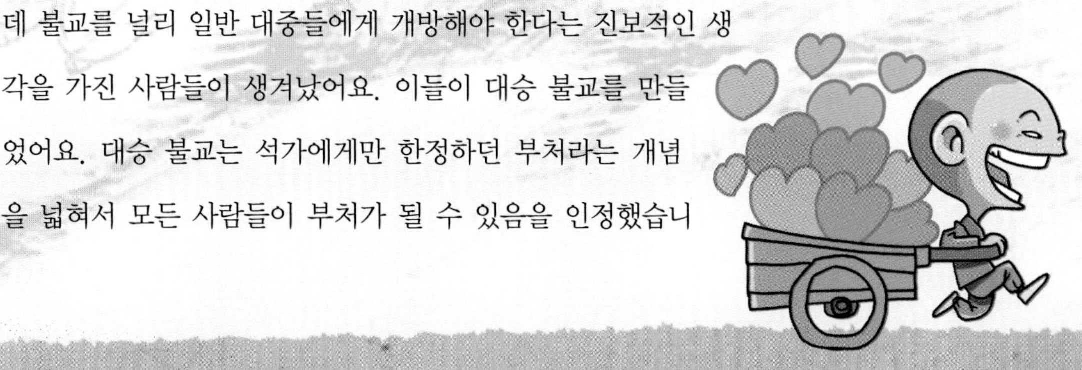

다. 그래서 모든 사람을 부처로 보고, 자기만의 구제보다는 이타利他적인 자비를 가르침의 이상理想으로 삼고 광범위하게 종교 활동을 펴 나갔어요. 이러한 주장을 하는 사람들은 개인보다는 전체의 완성을 우선한다는 입장에서 스스로를 대승大乘이라 불렀고, 이에 반해 기존의 부파 불교를 소승小乘이라 낮추어 불렀답니다.

▲ 소승불교의 대표적 고건축인 중국 운남성 만비용 백탑

(4) 밀교密敎

대승 불교가 점점 발전하면서 학문적으로 깊어졌습니다. 그러자 일반인들은 불교를 어렵게 여겼고 조금씩 거리를 두게 되었답니다. 일부 불교 교단이 민간 신앙을 흡수하면서 새로운 불교로 발돋움했는데, 이를 밀교라고 합니다. 밀교가 번성했던 시기는 대체로 7세기 후반부터 12세기까지로 보고 있지요. 밀교의 발전은 주술적인 의례를 조직화하여 불교를 신비적으로 만들었어요. 그러던 중 1203년 이슬람 군이 인도에서 가장 컸던 비클라마시라 사원을 파괴하고 승려들을 살해했어요. 살아남은 승려들은 네팔이나 티베트 등지로 도망을 갔는데, 이는 불교가 종주국인 인도보다 우리나라나 중국 등에서 융성하게 되는 계기가 되었어요.

불교의 핵심 가르침인 네 가지 거룩한 진리

부처님은 처음 보리수 아래에서 깨달음을 얻은 후 이 깨달음을 사람들에게 전하기로 합니다.

네 가지 거룩한 진리(四聖諦, cattāri ariyasaccāni)는 불교 교의의 핵심으로, 석가모니가 깨달음을 얻은 지 얼마 안 되어 인도 베나레스 근처의 녹야원에서 행한 최초의 설법입니다.

사성제의 첫째는 태어남, 늙음, 병듦, 죽음, 슬픔, 비탄, 고통, 근심, 절망, 사랑하지 않는 사람과 만나는 것, 사랑하는 사람과 헤어지는 것, 원하는 것을 얻지 못하는 것을 포함하여, 존재한다는 것은 괴로움(dukkha)이라는 고성제苦聖諦입니다. 둘째는 그 괴로움에는 원인(samudaya)이 있다는 것으로, 감각적 쾌락에 대한 갈애[욕애欲愛], 그것을 유지하려는 존재에 대한 갈애[유애有愛], 그것에서 벗어나려는 비존재에 대한 갈애[무유애無有愛]가 있는데, 그러한 갈애渴愛가 바로 그 원인이라고 하는 집성제集聖諦이고, 셋째는 괴로움은 완전히 소멸(nirodha)할 수 있으며 괴로움의 소멸이 열반이라고 하는 멸성제滅聖諦입니다. 넷째는 괴로움을 소멸하기 위한 길(paṭipadā), 즉 여덟 가지 고귀한 길八正道이 있다는 멸도성제滅道聖諦입니다. 인생에는 괴로움(고성제)이 있는데 그 괴로움의 원인은 갈애(집성제)이며, 그 괴로움의 소멸이 열반(멸성제)인데 거기에 이르기 위해서는 여덟 가지 고귀한 길을 거치면(멸도성제) 된다는 아주 단순하면서도 명쾌한 진리입니다. 이 네 가지 거룩한 진리는 불교의 여러 교단에서 보편적으로 받아들여지고 있습니다.

여덟 가지 고귀한 진리八正道는 사성제 가운데 마지막의 도제(멸도성제)에서 가르치는 '깨달음을 얻기 위해 취해야 할 8가지 바른 자세' 를 말합니다.

정견(正見): 올바른 견해

정사유(正思惟)): 올바른 사유

정어(正語): 올바른 언어

정업(正業): 올바른 행위

정명(正命): 올바른 생활

정정진(正精進): 올바른 정진

정념(正念): 올바른 새김

정정(正定): 올바른 집중

이 여덟 가지 고귀한 길은 비단 불교가 아니더라도 모든 사람들에게 중요한 삶의 원칙일 것입니다.

또 한편으로 괴로움의 원인은 열두 가지 조건적 발생의 법칙 즉, 십이연기(十二緣起 paṭiccasamuppāda)라는 인연의 법칙으로 설명하는 경우도 있습니다.

① 무명(avijjā) 때문에, 즉 네 가지 거룩한 진리에 대한 올바른 앎의 결여로,

② 사람들은 신체적 · 언어적 · 정신적으로 형성(saṅkhārā)을 이루어 착하고 건전하거나 악하고 불건전한 형성에 종사하며,

③ 이러한 형성이 의식(viññāṇa)을 이 생에서 다음 생으로 성숙하게 만들고 다시 태어나는 곳을 규정합니다. 이와 같이 형성이 의식을 조건 지우고 의식을 따라서 잉태의 순간이 시작되고,

④ 살아 있는 정신 · 신체적 유기체인 명색(nāmarūpa)으로 전개됩니다.

⑤ 이 살아 있는 유기체가 다섯 감각능력과 여섯 번째의 인식능력을 갖춘 여섯 가지 감역(saḷāyatana)의 존재로 발전하여,

⑥ 의식과 대상 사이에서 접촉(phassa)을 발생시키고,

⑦ 접촉은 느낌(vedanā)을 낳고,

⑧ 느낌은 불쾌를 버리고 쾌를 추구하는 갈애(taṇhā)를 일으키고,

⑨ 갈애가 강력해지면 감각적 쾌락에 대한 욕망과 잘못된 견해를 바탕으로 한 강력한 집착(upādānā)을 낳게 되고,

⑩ 집착이 촉진되어 정신적 · 언어적 · 신체적인 형성을 이루어 새로운 존재(bhava)로 잉태되어

⑪ 새로운 태어남(jāti)을 얻게 되어 새로운 삶을 살다가

⑫ 늙고 죽음(jarāmaraṇa)으로 끝나게 됩니다.

윤회는 이러한 12가지 조건의 고리가 무한하게 반복하는 것을 말합니다. 이 순환과정을 끊는 사람은 윤회로부터 빠져나와 해탈에 이르게 되고 그럼으로써 괴로움이 그치게 됩니다.

불교에 대한 일문일답

1. 나무아미타불의 뜻은?

스님들이 염불을 할 때 '나무아미타불' 이라 외치는데, 이것은 인도 말을 한자어로 소리 나는 대로 빌려 쓴 것입니다. 즉 인도 말 'namo'mitābhāya' 을 한자어로 읽은 것이지요. '南無' 로 표기하고 '나무' 로 읽는 앞의 두 음절의 인도 말의 원형 'namas' 는 귀의한다는 뜻을 가지고 있습니다. 귀의란 돌아가 의지한다는 뜻이지요. 그러면 어디로 돌아가 의지한다는 것일까요? 바로 아미타 부처님이에요. 아미타 부처님은 서방정토 극락세계에 계시는 부처님을 말해요. 정리하면 '나무아미타불' 은 '서방정토 극락세계에 계신 부처님께 귀의합니다.' 라는 말입니다.

▲ 염주

2. 108배를 하는 이유는 무엇일까?

불교에서 가장 흔하게 사용하는 말 중에 '백팔번뇌' 라는 말이 있습니다. 이 말은 인간의 욕망에서 생겨나는 번뇌를 정리한 것입니다. 그래서 원래는 108 갈애를 의미합니다. 세 가지 갈애(감각적 쾌락에 대한 갈애 · 존재에 대한 갈애 · 비존재에 대한 갈애) 와 여섯 가지 감각대상

(형상 · 소리 · 냄새 · 맛 · 감촉 · 사실)과 세 가지 시간(과거 · 현재 · 미래)과 두 가지 안팎(자신 · 타인)을 곱하면, 108가지 갈애가 됩니다. 그것을 108 번뇌라고도 하는 것입니다. 그래서 절에 가면 이 108과 관련된 것들이 많이 있어요. '108계단' 을 비롯해, 염주의 숫자도 108개이고, 절을 할 때도 108을 기본 숫자로 하지요. 108번을 하면서 108가지의 번뇌를 잊자는 뜻이지요. 실제로 스님들이 천배를 한다는 것은 108배를 열 번 한다는 것으로 정확하게 세면 1000배가 아닌 1080배가 되는 셈이에요. 그러므로 삼천 배는 3000번이 아니라 3240번 절을 하는 것이 된답니다.

3. 윤회란 무엇인가?

윤회는 불교의 핵심적인 사상이에요. 생명이 있는 것들은 죽어도 다시 태어나 생이 반복된다고 하는 것이지요. 불교에서는 윤회하는 세계에 지옥 · 아귀 · 축생 · 아수라 · 인간 · 천상天上 등 육도六道가 있다고 해요. 이에 따르면 현재 우리가 사람의 모습으로 살고 있지만 이전의 삶, 즉 전생에는 어떤 동물이나 곤충 등으로 살았는지 모르며, 또 후의 삶, 즉 후생에는 인간이 아니라 파리나 돼지로 태어날 수 있다는 거예요. 육도 중 어느 세계에 태어나느냐 하는 것은 우리들이 살아 있을 때 어떤 행위를 했는지에 따라 결정되는데, 불교에서는 이를 업業이라고 한답니다. 우리가 세상을 살아갈 때 선업善業에 계속 행하면 천상의 세계에 가고 악업을 계속 행하면 점점 낮은 단계로 태어나다가 결국에는 지옥으로 간다고 해요.

▲ 윤회도

▲ **석굴암 사천왕상**
왼쪽부터 광목천, 다문천(나찰을 다스리는 사천왕의 중심), 증장천, 지국천.

4. 절의 입구에 있는 사천왕은 무엇일까?

사천왕은 사대천왕四大天王의 줄임 말이에요. 불법에 귀의하는 사람들을 수호하는 신이라고 생각하면 돼요. 옛날부터 우리나라의 절 입구에 해당하는 일주문과 본당 사이에 그림 또는 나무로 사천왕을 만들어 놓았답니다. 동서남북 한 곳을 맡고 지키는데, 동쪽에 있는 수호신을 지국천왕持國天王이라고 하며 검을 들고 있어요. 남쪽에 있는 수호신은 증장천왕增長天王이라고 하는데 용을 들고 있지요. 반면에 서쪽에 있는 것은 광목천왕廣目天王이라고 하며 탑을 들고 있고, 북쪽에 있는 것은 다문천왕多聞天王이라고 하는데 비파를 들고 있답니다.

▲ **신윤복 그림**
〈노상탁발 (路上托鉢: 중이 길 위에서 시주를 청하다)〉

5. 스님들이 길거리에서 구걸(탁발)을 하는 이유는?

스님이라는 신분 자체가 어떤 생산적인 일을 해서 벌어먹고 사는 세속의 신분이 아니에요. 오직 깨달음과 중생을 올바른 길로 인도하기 위해 정진하는 분을 의미하지요. 그러므로 스님들은 스스로 벌어먹고 사느라고 소모되는 시간에 오히려 수행과 자비의 삶을 더욱 적극적으로 하는 것이 본질에 맞는 삶이 되는 것이지

요. 반면에 신도들은 수행하는 스님들에게 공양을 올리고 보시를 하게 되는데, 이들은 이를 통해 베푸는 삶을 배워 복을 얻을 수 있답니다. 탁발은 부처님 당시부터 이루어졌고 지금도 태국 등 동남아시아 각 나라에 가면 스님들이 탁발하는 모습을 흔하게 볼 수 있지요.

스님들은 탁발을 하루에 한 번 하는데, 수행하는 데 번거로움을 피하고, 하루 한 번 정도의 음식으로도 수행 생활을 하는 데 문제가 없다고 판단해서입니다. 먹는 욕심으로 먹지 않고, 오직 수행 정진하기 위한 육신을 지탱하기 위한 목적으로 음식을 드시기 때문에 한 끼만 가지고도 그리 큰 문제가 되지 않았다는 말이지요.

6. 요즘 우리나라 길거리에서 탁발을 하는 스님을 보기 어려운 까닭은?

우리나라 스님은 왜 탁발을 안 할까요? 사실 탁발의 본래 의미에 비추어 보면 우리나라 스님들도 탁발을 하고 있습니다. 다만 길거리에 나서서 적극적으로 탁발을 하지 않을 뿐이지요. 우리나라 스님들은 신도들이 준 시주금과 쌀 등으로 공양을 해 먹고 있으며 수행과 포교와 교화에 전력을 다하고 있기 때문이에요. 탁발의 본뜻에 합당한 생활을 하고 있는 것이지요.

사실 우리나라도 몇십 년 전만 해도 직접적인 탁발을 했답니다. 그런데 사회가 복잡해지면서 이런 저런 문제가 많이 생겼어요. 진짜 스님이 아닌 사람들이 밥을 빌고, 심지어 돈을 요구하는 일이 자주 생겼거든요. 이런 일이 심해지자 불교 종단 차원에서 공식적으로 직접적인 탁발을 금지하도록 한 거예요.

▲ 태종의 무덤인 헌릉
태종은 즉위 전부터 왕실과 조정은 물론 사회 모든 부문에 걸쳐 강력한 개혁정책을 실시했는데 불교 정리 역시 그중 하나였다.

7. 우리나라의 절은 왜 산에 많이 있을까?

제일 큰 이유는 불교는 원래가 출세간적인 종교라 다른 종교보다는 깊은 심산유곡에 수행 도량을 짓는 경향이 있었습니다. 그렇지만 다른 불교국가에 가보면 도심지에 불교사원이 훨씬 많습니다. 우리나라도 불교가 융성했던 통일신라 시대나 고려 시대 때는 절이 산속에만 있지 않았고, 도심지에도 대찰들이 더 많았고, 궁궐 안에도 스님들이 많이 드나들었지요.

그런데 조선 시대가 열리면서 사정이 많이 달라졌답니다. 조선은 숭유억불 정책, 즉 유교를 숭상하고 불교를 배척하는 것을 나라의 근본으로 삼았기 때문이지요. 여기에는 고려 시대 말 불교의 타락이 큰 이유가 되었습니다. 조선 시대 때, 특히 태종이 왕에 즉위하면서부터 부패한 불교에 대한 대대적인 탄압이 시작되었어요. 태종은 제일 먼저 전국적으로 절을 정리했어요. 절이 가지고 있던 재산을 동결시키고 토지를 몰수했습니다. 전국에 절의 수를 242곳으로 정하고, 여기에 살 수 있는 스님들의 수도 정해 주었지요. 나머지 절은 모두 문을 닫게 하고, 스님들은 세상으로 나가게 만들었습니다. 이렇게 해서 나라에서는 토지를 많이 확보하였고, 세금을 더 많이 거둘 수 있었고, 세속으로 돌아간 스님들은 양인이 되어 부역과 조세의 부담을 졌으므로 나라의 경제적 기반이 좋아졌답니다.

세종 때에 이르러서는 불교에 대한 핍박이 더욱 심해졌어요. 절의 숫자도 대폭 줄어들었고, 대규모 토목 공사를 할 때 스님들을 강제로 동원했고, 일부 스님들은 도성 안으로 들어오지도 못하게 했지요. 그러자 더 이상 견딜 수 없었던 스님들이 탄압을 피해 산 속으로 거처를 옮기게 되었고, 오늘날 우리나라의 절이 유독 산속에 많이 있게 된 큰 이유 가운데 하나가 되었답니다.

▲ 지금은 절터 자리에 탑만 남아 있는 감은사지 삼층석탑.

8. 절마다 탑이 있는 이유는?

결론부터 말하면, 탑이 석가모니 부처님을 상징하기 때문입니다. 탑은 인도 말로 무덤을 뜻하는 '스투파'에서 나온 용어예요. 그러니까 탑은 서 있는 무덤이 되는 셈이지요.

부처님이 세상을 떠나시고 그의 몸을 화장했을 때, 부처님 몸에서는 무려 '17가마'의 사리가 나왔다고 해요. 인도에 불교를 발달시켰던 아쇼카 대왕은 이 사리를 가지고 인도 곳곳에 8만개가 넘는 스투파, 즉 탑을 세우게 했어요. 그러니까 탑은 바로 부처님의 무덤이라고 할 수 있고, 부처님 자체를 상징하는 것이 되지요. 불교의 신도들이 탑 앞에 절을 하고, 소원을 비는 이유도 여기에 있는 거랍니다. 이것이 오늘날 절마다 탑이 있게 된 이유예요. 특히 부처님의 사리를 진신사리라고 하는데, 우리나라에도 익산의 미륵사지 석탑을 비롯해 몇 군데 탑에 부처님의 진신사리를 모신 탑이 있답니다.

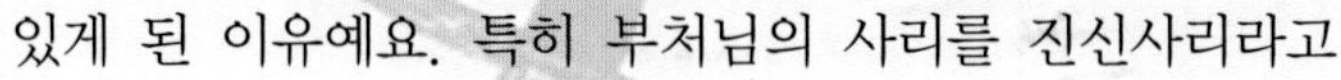

9. 염불을 할 때 목탁을 두드리는 까닭은?

▲목탁
주의를 환기시키고 경전소리에 집중할 수 있도록 도와주는 역할을 한다.

목탁은 나무를 큰 방울 모양으로 깎아 그 중앙을 반쯤 자르고, 소리가 잘 울리도록 다시 그 속을 파서 비게 하여 조그마한 나무채로 두드리는 법기(절에서 쓰는 물건)를 말해요. 목탁은 본래 스님들이 수행을 할 때 밤이고 낮이고 눈을 감는 일이 없는 물고기를 본뜬 모양으로 만들었기 때문에 목어木魚라고 부르기도 한답니다. 고기 모양을 한 목탁의 유래에 대해서는 여러 가지 전설이 전해지는데, 다음 이야기는 그 중에 하나예요.

옛날 어느 스님이 스승의 말을 안 듣다가 죽은 후 물고기가 되었어요. 그 물고기는 전생의 업이 많아 등에 나무가 났다고 합니다. 나무가 등에 난 물고기는 누군가가 등의 나무를 없애 주기를 기원했지요. 그러다 어느 날, 불도가 높으신 스님 한 분이 멀리 외국으로 불교 공부를 하기 위해 배를 타고 바다를 건너는 것을 보았어요. 그 스님을 찾아서 자기의 사연을 말했고, 전생에 스님으로 지낼 때 스승의 말을 잘 듣지 않은 것 등의 잘못한 죄를 고백하고 참회하였답니다. 물고기의 이야기를 들은 스님은 물고기를 위해 재를 올리고 나무를 제거해 주었어요. 그리고 그 나무로 물고기의 모양을 만들어서 널리 일반 백성들에게 불교의 가르침을 전했다고 해요.

10. 스님들은 왜 고기를 먹지 않을까?

불교에서는 인간에 대한 살생은 물론 동물에 대해서까지 살생을 금하고 있습니다. 이것은 부처님이 생명에 대한 지극한 외경심을 가르쳤기 때문이지요. 부처님께서는 하찮은 미물이라 할지라도 절대로 살생을 금하도록 하셨거든요. 부처님은 모든 생명이 저마다 하나뿐인 생명을 지키고 누릴 권리가 있다고 생각하셨어요.

인간은 세상 만물 가운데 가장 높고 존귀하다고 해요. 그렇지만 절대로 인간들끼리만 살아갈 수 없어요. 우리가 살아갈 수 있는 것은 주위의 많은 생명체의 도움을 받으며 더불어 살아가고 있는 것이기 때문이지요. 만약에 꿀벌이 꽃가루 옮기는 일

을 중지한다고 해 보세요. 당장 다음 해부터 곡식과 과일 등을 먹을 수 없게 되고, 이를 먹이로 살아가는 소와 같은 초식 동물들의 먹이가 없어지므로 굶어 죽을 거예요. 결국에 인간은 곡식이나 과일뿐만 아니라 고기도 먹을 수 없게 되겠지요. 따라서 인간이 만물의 영장이라고 해서 다른 생명체들을 함부로 대하게 된다면 인과응보의 법칙에 따라 인간 스스로에게도 큰 해가 생길 거예요. 부처님께서 살생을 금한 것도 이러한 이유에서이지요. 또한 살생을 하게 되면 인간이 지독하게 악한 마음을 가지게 되고, 자비심이 없어지게 된답니다. 전쟁 장면을 생각해 보세요. 살생을 하는 인간의 모습이 얼마나 악한지 알 수 있을 거예요. 이러한 부처님의 사상을 따르기 위해 스님들이 고기를 먹지 않게 된 것이지요.

그런데 가끔 텔레비전을 보면 절에서 동자승(어린 스님들)들에게 반찬으로 고기를 먹이는 모습을 본 적이 있을 겁니다. 이것을 보면 스님들이 고기를 먹을 수도 있다는 것을 알 수 있어요. 부처님께서도 다음 세 가지 경우에는 고기를 먹어도 좋다고 말씀하셨어요. 내 자신을 위하여 잡지 아니한 고기, 나를 위해서 잡았는지 의심스럽지 않은 고기, 짐승이 먹다 남은 고기 등이에요. 그래서 한창 성장하고 있는 동자승들이 건강하게 자라게 하기 위해 고기를 먹도록 배려하는 것이지요.

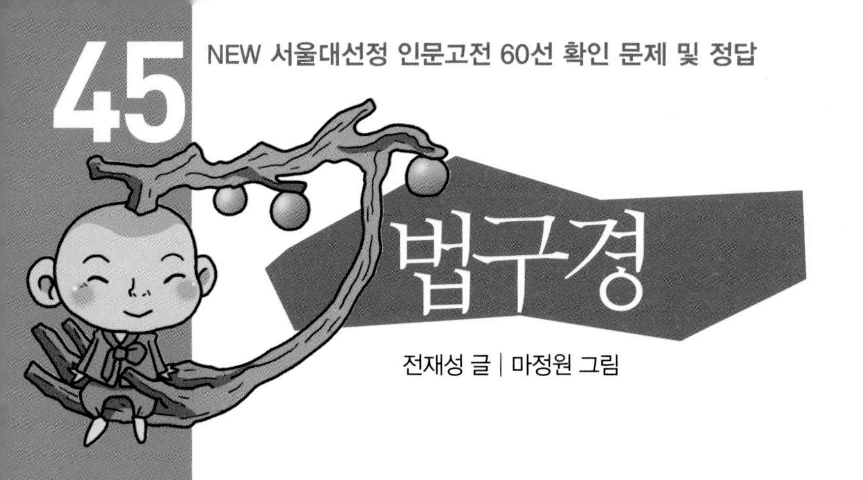

법구경

전재성 글 | 마정원 그림

01 《법구경》은 누가 한 말을 기록한 것일까요?

① 공자 ② 맹자 ③ 노자 ④ 부처 ⑤ 간디

02 《법구경》이라는 책의 제목을 옳게 풀이한 것을 고르세요.

① 법에 관한 말씀 ② 음식에 대한 말씀
③ 진리에 대한 말씀 ④ 민족정신에 대한 말씀
⑤ 올바른 정치에 대한 말씀

03 다음은 부처에 대한 설명입니다. 거리가 먼 것을 고르세요.

① 부처는 원래 왕자 싯타르타로 불렸다.
② 부처는 약 40년 동안 사람들을 가르쳤는데 그 가르침을 모두 책으로 편찬했다.
③ 부처는 완벽한 지혜를 갖추고 있어서 전지자로 불렸다.
④ 부처에 대해 가르치는 종교를 불교라 한다.
⑤ 부처는 10대에 결혼을 한 적이 있다.

04 다음 중 설명이 잘못된 것을 고르세요.

① 불(佛)은 진리를 깨달은 각자(覺者)라는 뜻이다.

② 여래(如來)는 '이렇게 오신 님'이라는 뜻이다.

③ 부처의 첫 가르침을 초전법륜이라고 한다.

④ 부처의 가르침은 '여덟 가지 고귀한 길(八正道)'로 정리될 수 있다.

⑤ 부처의 제자는 처음부터 끝까지 12명밖에 없었고, 이들을 12제자라고 한다.

05 다음은 《법구경》에 나오는 말입니다. 여기서 '지붕'은 무엇을 비유한 말일까요?

잘못 엮어진
지붕에 비가 새듯,
잘 닦이지 않은
마음에는 탐욕이 스며든다.
잘 엮어진 지붕에
비가 새지 않듯,
잘 닦인 마음에는
탐욕이 스며들지 않는다.

① 마음　② 얼굴　③ 재물　④ 육체　⑤ 마을

05 ① / 06 ⑤ : 부처는 참사람의 조건 중 결혼에 대해 말한 적이 없습니다.

07 진리 / 08 부처

09 남녀 사이의 사랑 : 부처는 사랑하는 자를 갖게 되면 인간은 그 윤회의 바다에서 애착의 밧줄에 묶이어 방황하게 되고, 그렇다고 사랑하지 않는 자를 갖게 되면 인간은 그 윤회의 바다에서 미움의 밧줄에 묶이어 방황하게 된다고 했습니다. 그래서 사랑하는 자, 또 사랑하지 않는 자를 만들지 말라고 한 것입니다.

10 연꽃은 연못 위에 떠 있지만 물에 젖지 않고, 연못의 물이 여러 색깔로 물들어도 물들지 않고, 뜨거운 볕에 부글부글 끓을 정도로 더워도 더위에 지지 않고, 이끼가 끼어 혼탁해도 혼탁해지지 않고, 바람이 불어도 물에 젖지 않는 특징을 가진 식물이기 때문입니다.

06 다음 글은 《법구경》의 '꽃과 향기의 장'에 나오는 글입니다. '참사람'과 거리가 먼 것을 고르세요.

백단향도 로즈베리향도 재스민향도,
꽃향기는 바람을 거슬러 가지 못하지만,
참사람의 향기는 바람을 거슬러 가네.
참사람의 향기는 모든 방향으로 퍼져나가네.

① 생명을 해치지 않는다.
② 주지 않는 것을 빼앗지 않는다.
③ 거짓말을 하지 않는다.
④ 곡주를 마시고 취하지 않는다.
⑤ 결혼을 하지 않고 혼자 산다.

07 다음 문장에서 괄호에 공통적으로 들어갈 알맞은 답을 쓰세요.

• (　　)의 물을 마시는 사람은
맑고 깨끗한 마음으로 편안히 눕는다.
• 거룩한 성자가 가르침으로 전한 (　　)(을)를
현명한 사람은 언제나 즐긴다.

정답

01 ④ : 부처는 훌륭한 시인이기도 했습니다. 그래서 부처는 가르침을 사람들이 외워 마음에 새기기 좋게 중요한 가르침을 아름다운 운율이 들어간 시로 만들어 제자들에게 전파했습니다. 《법구경(法句經)》은 그러한 시들 가운데 가장 교훈적인 시들을 모아서 부처의 가르침을 후세에 엮은 것입니다.
02 ③ : 《법구경》에서 말하는 진리란 복잡한 철학적인 의미를 가진 것이 아니라 단순히 인생을 행복으로 이끄는 길이라고 생각하면 됩니다. / 03 ② : 부처는 많은 가르침을 줬으나 정작 본인이 짓고 출간한 책은 없습니다. 이것은 예수의 말씀을 전하는 《신약》이 예수가 쓴 책이 아닌 것과 같습니다.
04 ⑤ : 부처는 가르침을 전한 지 3개월 만에 60여 명의 제자가 생겼다고 합니다.

08 다음 글에서 '님'에 해당하는 이는 누구일까요?

모든 죄악을 짓지 않고
모든 착하고 건전한 것을 성취하고
자신의 마음을 깨끗이 하는 것,
이것이 모든 깨달은 님의 가르침이다.

---

09 다음 글에서 말하는 사랑은 어떤 사이의 사랑을 말하는 것일까요?

사랑하는 자를 만들지 말라.
사랑하는 자와 헤어짐도 불행이고
사랑하는 자도 사랑하지 않는 자도 없으면
그 사람에게 속박이 없다.

---

10 불교에서는 부처를 연꽃에 자주 비유하는데, 그 이유를 간단히 설명하세요.

통합교과학습의 기본은 세계사의 이해,

세계대역사 50사건

제대로 알차게 만든 교양 세계사 만화!
우리 집 최고의 종합 인문 교양서!

★서양사와 동양사를 21세기의 균형적 시각에서 다룬 최초의 역사 만화
★세계사의 핵심사건과 대표적 인물을 함께 소개해 세계사의 맥락을 짚어 주는 책
★시시각각 이슈가 되는 세계사 정보를 지식이 되게 하는 재미있는 대중 교양서

1. 파라오와 이집트
2. 마야와 잉카 문명
3. 춘추 전국 시대와 제자백가
4. 로마의 탄생과 포에니 전쟁
5.석가모니와 불교의 발전
6. 그리스 철학의 황금시대
7. 페르시아 전쟁과 그리스의 번영
8. 알렉산드로스 대왕과 헬레니즘
9. 실크 로드와 동서 문명의 교류
10. 진시황제와 중국 통일
11. 카이사르와 로마 제국
12. 로마 제국의 황제들
13. 예수와 기독교의 시작
14. 무함마드와 이슬람 제국
15. 십자군 전쟁
16. 칭기즈 칸과 몽골 제국
17. 르네상스와 휴머니즘
18. 잔 다르크와 백년전쟁
19. 루터와 종교개혁
20. 코페르니쿠스와 과학 혁명
21. 동인도회사와 유럽 제국주의
22. 루이 14세와 절대왕정
23. 청교도 혁명과 명예혁명
24. 미국의 독립전쟁
25. 산업 혁명과 유럽의 근대화
26. 프랑스 대혁명
27. 나폴레옹과 프랑스 제1제정
28. 라틴 아메리카의 독립과 민주화
29. 빅토리아 여왕과 대영제국
30. 마르크스_레닌주의
31. 태평천국운동과 신해혁명
32. 비스마르크와 독일 제국의 흥망성쇠
33. 메이지 유신 일본의 근대화
34. 올림픽의 어제와 오늘
35. 양자역학과 현대과학
36. 아인슈타인과 상대성 원리
37. 간디와 사티아그라하
38. 마오쩌둥과 중국 공산당
39. 대공황 이후 세계 자본주의의 발전
40. 제2차 세계 대전
41. 태평양 전쟁과 경제대국 일본
42. 호찌민과 베트남 전쟁
43. 팔레스타인과 이스라엘의 분쟁
44. 넬슨 만델라와 인권운동
45. 카스트로와 쿠바 혁명
46.아프리카의 독립과 민주화
47. 스푸트니크호와 우주 개발
48. 독일 통일과 소련의 붕괴
49. 유럽 통합의 역사와 미래
50. 신흥대국 중국과 동북공정
★가이드북

김창회 외 글 | 진선규 외 그림 | 232쪽 내외